1973

This book may be kept

FOURTEEN DAYS

Écritures

Écritures
Techniques de Composition

Micheline Besnard
Jean-Pierre Coursodon

THE MACMILLAN COMPANY
NEW YORK, NEW YORK

COLLIER-MACMILLAN LIMITED,
LONDON

The Macmillan Company
866 Third Avenue, New York, New York 10022

Collier-Macmillan Canada, Ltd., Toronto, Ontario

Library of Congress Catalog Card Number: 72–75002

printing number
1 2 3 4 5 6 7 8 9 10

Printed in the United States of America

Acknowledgments

EDITIONS CALMANN-LEVY: "Le Livre de mon ami" by Anatole France.

EDITIONS GALLIMARD: "Tata" by Jacques Borel; "L'Etranger" by Albert Camus; "Le Square" by Marguerite Duras; and "Exercices de style" by Raymond Queneau.

EDITIONS DE MINUIT: "Instantanés" by Alain Robbe-Grillet; and "Tropismes" by Nathalie Sarraute.

EDITIONS DU ROCHER: "La Difficulté d'Etre" by Jean Cocteau.

Illustrated by Virginia Perlo

Table des Matières

*... cette étrange trouvaille
des sabots devant la porte...*

Foreword

INTENT

Ecritures is intended for intermediate and advanced courses in college French where emphasis is on *writing the language*. Through models of style, related grammar, examples of usage and a wealth of exercises for writing practice, it is hoped that you will develop both a feel for the structure and subtlety needed to write correctly in French and, of perhaps even greater importance, to write creatively in the language.

ORGANIZATION: THE KEY POINTS

Each lesson starts with a • **Texte Littéraire** (the writing model) and is followed by • **Questions** (detailed and general questions) designed as warm-up oral practice as well as to generate strong familiarity with the selection. A • **Grammaire** follows (conventions of usage pragmatically related to the lesson) which is intended to prepare the groundwork for exercises and practice in writing French. • **Vocabulaire et Style** (Vocabulary and structural studies in literary style) serves as a bridge to writing and creative performance. At this pivotal point in each lesson (1) vocabulary and stylistic devices are singled out from the literary model, their inherent grammatical structure, literary devices and psychological effects combined. (2) Given frequent *examples* of this structure, you are asked to write imitatively—keeping the model patterns in mind. (3) As you become more and more familiar with the lesson, you are encouraged to write within progressively freer situations and eventually guided to write longer, more mature compositions. The • **Texte Complémentaire** (an additional writing sample) is introduced, demonstrating a fresh approach to and further treatment of the themes of the lesson. You are, for example, asked to compare (in writing) the two selections and elucidate their common points and differences. Moreover, this is another ideal point to orally discuss the topics of the lesson. Each lesson concludes with a • **Rédaction** (suggested topics for composition) thematically and logically integrated with the lesson. You will, at this point, be afforded an opportunity of using a combination of the materials taught in the lesson (vocabularies, stylistic devices, structures, and themes) in your own writing. It should be noted in passing that two of the most funda-

mental points of *Ecritures* are: 1. a logical and gradual approach to
the teaching of writing and 2. reliance upon the hundreds of writing
exercises sown throughout the book.

THE LITERARY MODELS

The literary selections cover a wide variety of authors, styles, subjects
and periods, with the emphasis on contemporary writers; seven out of
the twelve passages are by twentieth century authors (eight, if we count
Anatole France as one of them), including Robbe-Grillet, Marguerite
Duras, Raymond Queneau, Jacques Borel, Jean Cocteau and Albert
Camus. The nineteenth century is represented by Chateaubriand and
Maupassant, the eighteenth by passages from Voltaire and Rousseau
selected for both topicality and readability. In keeping with the spirit
of the text, many different types of style are represented: Maupassant's
creation of an oppressive atmosphere; Cocteau's terse, elliptical and
humorous self-portrait; Camus' brooding coldness and objectivity;
France's delicate and nostalgic evocation of nature and moods; Voltaire's irony and satire; Rousseau's impassioned didacticism; Duras' non-
realistic yet idiomatic and moving dialogue; Borel's mad and hilarious
satire of the spoken style of an overprotective parent; Robbe-Grillet's
"snapshot" objectivity in description; Chateaubriand's poetic prose;
and, fittingly, in a text devoted to style, samples from Queneau's bril-
liant "exercices de style."

ADDITIONAL AIDS

A • **Lexique** of French vocabulary and terms appropriate to the intermediate levels of college French may be found at the end of the
book. It is fully recognized that there are many purists who disdain
any use of a second language in a foreign language work. The present
Lexique, however, seeks to clarify only those terms which frequently
lead to misunderstanding on the part of that native American speaker
who, while practicing the foreign language, may nevertheless have to
occasionally resort to his own language to clarify a point. Both the
• **Index Vocabulaire et Style** and the • **Index Grammaire** which
follow provide a convenient, chapter by chapter reference to vocabulary,
stylistic and grammatical elements found in the work. The two symbols
(•) and (■) refer, in the order above, to the introduction of a grammatical point and the beginning of an individual or group of writing
exercises.

The authors and editors of ÉCRITURES trust that this will be a practical
and delightful book for all who use it.

Guy de Maupassant

La Petite Roque

Une petite fille de douze ans, la petite Roque, a été violée et assassinée dans un bois près du village. Le lendemain, sa mère trouve devant sa porte les sabots de l'enfant, qui avaient disparu.

LES recherches durèrent tout l'été; on ne découvrit pas le criminel. Ceux qu'on soupçonna et qu'on arrêta prouvèrent facilement leur innocence, et le parquet[1] dut renoncer à la poursuite du coupable.

Mais cet assassinat semblait avoir ému le pays entier d'une 5
façon singulière. Il était resté aux âmes des habitants une inquiétude, une vague peur, une sensation d'effroi mystérieux, venue non seulement de l'impossibilité de découvrir aucune trace, mais aussi et surtout de cette étrange trouvaille des sabots devant la porte de la Roque le lendemain. La certitude que le 10

[1] *le parquet:* équivalent français du «District Attorney's Office».

meurtrier avait assisté aux constatations,[2] qu'il vivait encore dans le village, sans doute, hantait les esprits, les obsédait, paraissait planer sur le pays comme une incessante menace.

La futaie,[3] d'ailleurs, était devenue un endroit redouté, évité, qu'on croyait hanté. Autrefois, les habitants venaient s'y promener dans chaque dimanche l'après-midi. Ils s'asseyaient sur la mousse au pied des arbres énormes, ou bien s'en allaient le long de l'eau en guettant les truites qui filaient sous les herbes. Les garçons jouaient aux boules, aux quilles, au bouchon, à la balle, en certaines places où ils avaient découvert, aplani et battu le sol; et les filles par rangs de quatre ou cinq, se promenaient en se tenant le bras, piaillant de leurs voix criardes des romances qui grattaient l'oreille, dont les notes fausses troublaient l'air tranquille et agaçaient les nerfs des dents ainsi que des gouttes de vinaigre. Maintenant personne n'allait plus sous la voûte épaisse et haute, comme si on se fût attendu à y trouver toujours quelque cadavre couché.

L'automne vint, les feuilles tombèrent. Elles tombaient jour et nuit, descendaient en tournoyant, rondes et légères, le long des grands arbres; et on commençait à voir le ciel à travers les branches. Quelquefois, quand un coup de vent passait sur les cimes, la pluie lente et continue s'épaississait brusquement, devenait une averse vaguement bruissante qui couvrait la mousse d'un épais tapis jaune, criant un peu sous les pas. Et le murmure presque insaisissable, le murmure flottant, incessant, doux et triste de cette chute, semblait une plainte, et ces feuilles tombant toujours, semblaient des larmes, de grandes larmes versées par les grands arbres tristes qui pleuraient jour et nuit sur la fin de l'année, sur la fin des aurores tièdes et des doux crépuscules, sur la fin des brises chaudes et des clairs soleils, et aussi peut-être sur le crime qu'ils avaient vu commettre sous

---

[2] *les constatations*: constatations officielles faites par un magistrat du parquet au cours de son enquête sur le meurtre.

[3] *La futaie*: le bois où le crime a été commis.

leur ombre, sur l'enfant violée et tuée à leur pied. Ils pleuraient dans le silence du bois désert et vide, du bois abandonné et redouté, où devait errer, seule, l'âme, la petite âme de la petite morte.   45

La Petite Roque, 1885

QUESTIONS

1. Combien de temps durèrent les recherches?
2. Pourquoi le parquet dut-il renoncer à la poursuite du coupable?
3. Quelles sont les deux raisons principales qui expliquent l'angoisse des habitants?
4. Pourquoi avaient-ils «la certitude que le meurtrier avait assisté aux constatations, qu'il vivait encore dans le village»?
5. Pourquoi la futaie était-elle devenue «un endroit redouté, évité»?
6. Que faisaient les habitants autrefois chaque dimanche?
7. A quoi jouaient les garçons?
8. Que faisaient les filles? Pourquoi est-ce que leurs chansons «agaçaient les nerfs des dents ainsi que des gouttes de vinaigre»?
9. Quelles sont les manifestations de la venue de l'automne?
10. A quoi le murmure de la pluie fait-il penser?
11. A quoi les feuilles qui tombent sont-elles comparées?
12. L'auteur imagine que les arbres «pleurent». Sur quoi et pourquoi pleurent-ils?

GRAMMAIRE

Le participe présent et le gérondif.

• On appelle *gérondif* le participe présent précédé de *en.* L'un et l'autre sont invariables.

• *Le participe présent* qui suit immédiatement le nom auquel il se rapporte a le même sens qu'une proposition relative:

EXEMPLE:

«...la mousse d'un épais tapis jaune, *criant* un peu sous les pas» = la mousse d'un épais tapis jaune *qui criait* sous les pas.

«...ces feuilles tombant toujours, ...» = ces feuilles qui tombaient toujours.

• Le gérondif exprime en général la *simultanéité* (l'action décrite se déroule en même temps qu'une autre) :

EXEMPLE:

«...ou bien s'en allaient le long de l'eau *en guettant* les truites...» = ils s'en allaient et, en même temps, ils guettaient.

ou bien la *manière* dont une action est faite:

EXEMPLE:

«...et les filles...se promenaient *en se tenant* le bras,...» (*Comment* se promenaient-elles? En se tenant...)

Remplacez les propositions en italiques par le participe présent.

EXEMPLE:
La police, *qui soupçonnait* plusieurs personnes, les interrogea.
= La police, soupçonnant plusieurs personnes, les interrogea.

1. Les policiers, *qui ne croyaient pas* le suspect, continuèrent à l'interroger.
2. Le facteur, *qui ne s'attendait pas* à trouver un cadavre, eut très peur.
3. Les habitants, *qui étaient obsédés* par le souvenir du meurtre, abandonnèrent la futaie.
4. Le tapis de feuilles, *qui s'épaississait* chaque jour, criait sous les pas.
5. Les suspects, *qui avaient prouvé* leur innocence, furent relâchés.

Remplacez les infinitifs entre parenthèses par le gérondif.

1. La pluie tombait (battre) les feuilles.
2. Le meurtre, (émouvoir) les gens du pays, les a aussi effrayés.
3. (Découvrir) les petits sabots de sa fille, la mère Roque versa des larmes.
4. (S'asseoir) au pied de l'arbre, il pouvait guetter les poissons.
5. (Commettre) ce crime, l'assassin a ému tout le pays.

Remplacez les infinitifs soit par le participe présent, soit par le gérondif.

1. Ne (trouver) pas le coupable, la police renonça à ses recherches.

2. Les hommes arrêtés se défendirent (prouver) leur innocence.

3. (Savoir) que le meurtrier vivait parmi eux, les habitants du village étaient inquiets.

4. Les garçons guettaient les truites (filer) sous les herbes.

5. Les filles troublaient le silence (chanter).

6. L'automne (venir), les feuilles commencèrent à tomber.

7. Le vent (venir) de l'ouest faisait tournoyer les feuilles.

8. L'averse murmurait (tomber) sur les feuilles.

9. On entendait dans la futaie les grands arbres (pleurer) sur la fin de l'année.

10. Les habitants redoutaient l'âme de la petite morte (errer) dans la futaie.

Les temps passés: Passé simple-Passé composé / Imparfait.

• Il existe certaines différences entre le passé simple et le passé composé, mais on peut dire que le plus souvent les deux temps ont le même sens; le premier est employé en *style littéraire*, le second dans la *langue parlée*. (Pour un autre emploi du passé composé, voir chapitre suivant.)

• *Le passé simple ou passé composé* décrit des actions qui ont eu lieu, ou des conditions qui ont existé, pendant une période *déterminée* dans le passé, *et qui ont pris fin.*

EXEMPLE:
«Les recherches ont duré tout l'été; puis ont été interrompues; on n'a pas découvert le criminel; et on n'a pas continué à chercher; on a soupçonné et arrêté certains hommes à un moment précis, etc.»

• Le passé simple ou passé composé est le temps de *l'action principale*. Dans un récit, il sert à raconter *ce qui s'est passé*, et fait progresser l'action.

• *L'imparfait* décrit des actions ou des états qui *durent dans le passé sans indication de limite*. Ces actions et ces états ont peut-être cessé plus tard, mais l'emploi de l'imparfait ne permet pas de le deviner.

EXEMPLE:
«Quelquefois, quand un coup de vent passait sur les cimes, la pluie lente et continue s'épaississait brusquement, . . .»

- Pour cette raison, l'imparfait sert surtout à décrire:

—des états, des conditions permanentes dans le passé, sans action ni changement (description physique ou psychologique d'une personne, par exemple).

EXEMPLE:

La petite Roque *avait* douze ans.

—des actions habituelles, répétées dans le passé.

EXEMPLE:

«Autrefois, les habitants venaient s'y promener.»

—des actions ou états qui continuaient dans le passé, et en particulier, *ce qui se passait quand quelque chose est arrivé.*

EXEMPLE:

Le facteur faisait sa tournée quand il a découvert la cadavre.

- L'imparfait *ne décrit presque jamais l'action principale.* Il décrit des actions ou états qui *servent de toile de fond* (background) à l'action principale exprimée par le passé simple ou passé composé. Ce «background» présente le *décor,* les *conditions* ou les *raisons* de l'action.

EXEMPLE:

(de la différence de sens entre imparfait et passé simple):

«L'automne vint, les feuilles tombèrent. Elles tombaient jour et nuit . . .»

«Les feuilles tombèrent» décrit un fait principal dans une série de faits (l'été s'est achevé, l'automne a commencé, les feuilles sont tombées). «Elles tombaient jour et nuit» ne décrit pas un fait principal (il a été décrit dans la phrase précédente), mais une *condition* qui dure de façon indéterminée. Dans cette phrase, rien ne se passe, les feuilles continuent à tomber indéfiniment.

Mettez les verbes entre parenthèses à l'imparfait et précisez la valeur de cet imparfait dans chaque phrase.

1. Les habitants (venir) chaque dimanche dans la futaie.
2. Ils ne (rentrer) chez eux que quand la brise (devenir) fraîche.
3. Dès que le vent (souffler), les feuilles (tournoyer).
4. Les recherches (durer) encore quand l'automne est arrivé.
5. Depuis le meurtre on (croire) que la futaie (être) hantée.

Dans les phrases suivantes, mettez les verbes entre parenthèses à l'imparfait ou au passé simple selon le cas.

1. Les gens du pays (aimer) venir dans le bois le dimanche. Les hommes (pêcher) la truite dans le ruisseau, les garçons (jouer), les filles (se promener) en chantant.

2. Un matin le facteur qui (passer) par la futaie, (découvrir) le cadavre d'une petite fille. Il (avoir peur) et (courir) prévenir la maire.

3. Les gens (ne plus aller) dans la futaie parce qu'ils (croire) qu'elle (être) hantée, et parce qu'ils (avoir peur).

4. Les recherches (durer) depuis plusieurs mois quand on (découvrir) le coupable.

5. Les recherches (durer) plusieurs mois, mais on (découvrir) le coupable finalement.

Mettez les phrases suivantes à l'imparfait ou au passé simple selon le cas.

1. Samedi, je (partir) à la campagne parce qu'il (pleuvoir) en ville.

2. Quand je (arriver) à la campagne, il (pleuvoir) aussi.

3. Il (pleuvoir) toute la journée, mais vers le soir la pluie (cesser).

4. Comme il (ne plus pleuvoir), je (sortir) pour faire une promenade.

5. Je (marcher) depuis dix minutes quand il (commencer) à pleuvoir de nouveau; je (rentrer) en courant.

VOCABULAIRE ET STYLE

Le vocabulaire de la peur et du mystère

Trouvez deux adjectifs et un nom de la même famille que le verbe «émouvoir». Employez-les dans des phrases.

Relevez dans le deuxième paragraphe trois adjectifs exprimant le mystère.

Expliquez les différences de sens et d'intensité entre les trois substantifs: *inquiétude, peur, effroi*. Employez le substantif qui convient dans les phrases suivantes:

1. Imaginez le / la _____ du facteur lorsqu'il trouva le cadavre.
2. Le / La _____ planait sur le pays.
3. Le / La _____ de la mère Roque fut grand(e) lorsque sa fille ne rentra pas à la maison.

Les comparaisons.

Comme, ainsi que

- Les comparaisons sont exprimées par *comme* ou *ainsi que*:

  EXEMPLES:

  «La certitude que le meurtrier vivait encore dans le village semblait planer sur les esprits *comme* une incessante menace.»

  Les voix fausses des jeunes filles «agaçaient les nerfs des dents *ainsi que* des gouttes de vinaigre.»

Complétez les phrases suivantes en employant au choix *comme* ou *ainsi que*:

1. Les feuilles recouvraient le sol _____ un tapis.
2. La nature entière pleurait _____ les hommes.
3. Les gouttes tombaient _____ des larmes.
4. Les morts errent _____ des fantômes.
5. Il fut si effrayé qu'il devint pâle _____ un mort.

Sembler, ressembler à

- Les comparaisons peuvent aussi être introduites par: *sembler* ou *ressembler à*.

  EXEMPLES:

  Le murmure de la pluie «*semblait* une plainte.»

  «... ces feuilles tombant toujours, *semblaient* des larmes.»

Complétez les phrases suivantes à l'aide du verbe *sembler*:

1. La rivière _____ un miroir.

2. Les arbres _____ des fantômes.

3. Le bois _____ un désert.

• Remarquez que les comparaisons exprimées avec *sembler* appartiennent au style littéraire. Plus couramment, au lieu de *sembler,* on emploie *ressembler à.*

EXEMPLES:

Le murmure de la pluie *ressembla't à* une plainte.

Les feuilles *ressemblaient à* des larmes.

Récrivez l'exercice précédent en remplaçant le verbe sembler par ressembler à.

Comme si.

EXEMPLE:

«Personne n'allait plus dans la futaie, *comme si* on se fût attendu à y trouver toujours un cadavre . . .»

• Cet emploi du subjonctif plus que parfait est littéraire. On emploie généralement *l'imparfait ou le plus que parfait de l'indicatif.*

EXEMPLE:

Personne n'allait plus dans la futaie, *comme si* on *s'était attendu à* . . .

• On emploie l'imparfait lorsque l'action de la proposition principale et celle de la subordonnée sont simultanées.

EXEMPLE:

il baîllait comme s'il *s'ennuyait* (= comme s'il était en train de s'ennuyer)

• On emploie le plus que parfait lorsque l'action de la subordonnée est antérieure à celle de la principale.

EXEMPLE:

il baîllait comme s'il *n'avait pas dormi* (la nuit précédente)

■

Remplacez l'infinitif dans les phrases suivantes par l'imparfait ou le plus que parfait selon le cas:

1. Après le drame, les garçons jouaient comme si rien ne (se passer)

2. Chacun racontait l'histoire comme s'il (assister) au drame

3. Les arbres perdaient leurs feuilles comme s'ils (mourir)
4. Les habitants étaient toujours inquiets comme si le coupable (vivre) parmi eux
5. Ils abandonnèrent la futaie comme s'ils (vouloir) oublier le drame

Exercice géneral sur les comparaisons

Cherchez à quoi vous pouvez comparer: un arbre; la forêt; une feuille (ou les feuilles); le bruit de la pluie; le vent. Faites une phrase avec votre comparaison, en utilisant chacun des termes déjà étudiés: *comme; ainsi que; sembler; ressembler à; comme si.*

Les procédés descriptifs et évocateurs.

Le mouvement.

Relevez dans le texte trois verbes exprimant le mouvement de chute des feuilles. Lequel est le plus expressif? Pourquoi?

Les impressions auditives

Relevez tout ce qui contribue à décrire le bruit de la pluie. Remarquez que chaque terme est accompagné d'un adjectif ou d'un adverbe; comment ces adjectifs et ces adverbes modifient-ils le bruit de la pluie?

Quelle est la différence de sens entre *bruyant* et *bruissant*?

Faites trois phrases dans lesquelles vous emploierez les mots suivants: bruissement; murmure; plainte.

L'atmosphère de tristesse

La tristesse est exprimée tout d'abord par des mots et par des comparaisons. Relevez-les.

Mais la tristesse monotone est aussi évoquée par les *répétitions*. Relevez-les et essayez d'analyser l'impression produite.

> **EXEMPLE:**
> «Et *le murmure* presque insaisissable, *le murmure* flottant...»
> La répétition du mot suggère la répétition du bruit de la pluie, prolonge ce bruit, et lui donne un caractère obsédant. De plus, à l'intérieur du mot *murmure*, on remarque la répétition des mêmes sonorités: *mur-mure*, qui renforce encore

l'effet obsédant. Enfin, ces sonorités sont elles-mêmes sourdes et étouffées. (Lorsque cela vous paraît nécessaire, n'oubliez pas de mentionner l'effet des sonorités et des rythmes).

TEXTE COMPLEMENTAIRE

Un caractère moral s'attache aux scènes de l'automne: ces feuilles qui tombent comme nos ans, ces fleurs qui se fanent comme nos heures, ces nuages qui fuient comme nos illusions, cette lumière qui s'affaiblit comme notre intelligence, ce soleil qui se refroidit comme nos amours, ces fleuves qui se glacent comme notre vie, ont des rapports secrets avec nos destinées.

Chateaubriand, Mémoires d'outre-tombe

Le sujet (l'automne) est-il le seul point commun entre ce texte de Chateaubriand et le texte de Maupassant? Essayez de trouver des ressemblances dans les idées, le style, l'atmosphère. Indiquez aussi les différences.

REDACTION

Un lieu de votre ville (une place, un parc, une rue, votre campus, etc.) est particulièrement fréquenté durant la belle saison (par qui? des étudiants, des enfants, des vieillards, des femmes, des hommes qui travaillent, des hommes qui ne travaillent pas, etc.). Décrivez le lieu et les gens (leur apparence, leurs activités, leurs habitudes).

Mais l'automne arrive, avec le mauvais temps. Montrez à la fois le changement d'aspect des lieux et le changement dans les apparences et les habitudes des gens.

... une gerbe de mèches
qui se contredisent et
ne peuvent se peigner.

Jean Cocteau

De Mon Physique

JE n'ai jamais eu un beau visage. La jeunesse me tenait lieu de beauté. Mon ossature est bonne. Les chairs s'organisent mal dessus. En outre le squelette change à la longue et s'abîme. Mon nez, que j'avais droit, se busque comme celui de mon grandpère. Et j'ai remarqué que celui de ma mère s'était busqué sur son lit 5 de mort. Trop de tempêtes internes, de souffrances, de crises de doute, de révoltes matées à la force du poignet,[1] de gifles du sort m'ont chiffonné le front, creusé entre les sourcils une ride profonde, tordu ces sourcils, drapé lourdement les paupières, molli les joues creuses, abaissé les coins de la bouche, de telle sorte que 10 si je me penche sur une glace basse je vois mon masque se détacher de l'os et prendre une forme informe. Ma barbe pousse blanche. Mes cheveux, en perdant l'épaisseur, ont gardé leur révolte. Il en résulte une gerbe de mèches qui se contredisent et

[1] *à la force du poignet* (idiomatique) : par des efforts pénibles (l'image vient des athlètes qui soulèvent des poids «à la force du poignet»)

15 ne peuvent se peigner. Si elles s'aplatissent elles me donnent un
air minable. Si elles se redressent, cette coiffure hirsute semble
être le signe d'une affectation.

Mes dents se chevauchent. Bref, sur un corps ni grand ni
petit, mince et maigre, armé de mains qu'on admire parce
20 qu'elles sont longues et très expressives, je promène une tête in-
grate. Elle me donne une fausse morgue. Cette fausse morgue
vient de mon désir de vaincre la gêne que j'éprouve à me montrer
tel que je suis, et sa promptitude à fondre,² de la crainte qu'on
puisse la prendre pour une morgue véritable.

25 Il en résulte un passage trop rapide de la réserve à l'épanchement, de l'assurance aux maladresses. La haine m'est inconnue.
L'oubli des offenses est chez moi si fort qu'il m'arrive de sourire
à mes adversaires lorsque je me rencontre avec eux face à face.
Leur étonnement me douche et me réveille. Je ne sais quelle
30 contenance prendre. Je m'étonne qu'ils se souviennent du mal
qu'ils m'ont fait et que j'avais oublié.

La Difficulté d'être, 1947

QUESTIONS

1. Qu'avait Cocteau, à défaut de la beauté?
2. Même lorsque l'ossature est bonne, le squelette change-t-il?
3. Son nez a-t-il changé? comment?
4. Qu'est-ce que les «gifles du sort»?
5. Quel a été l'effet des «tempêtes internes», des souffrances etc...
   sur le visage de Cocteau?
6. Que se passe-t-il quand l'auteur se penche sur une glace basse?
7. Quelle est la caractéristique de ses cheveux?
8. Combien de coiffures peut-il choisir? Quel est l'inconvénient de
   chacune?
9. Ses dents sont-elles régulières?
10. Comment sont ses mains?

² *sa promptitude à fondre:* sujet du verbe *vient* sous-entendu

11. Quel adjectif résume toutes les caractéristiques de son visage?
12. Pourquoi manifeste-t-il une «fausse morgue»?
13. Cette fausse morgue disparaît-elle rapidement? Pourquoi?
14. L'auteur passe-t-il fréquemment d'une attitude à l'autre? donnez un exemple.
15. Pourquoi sourit-il à ses adversaires?
16. Pourquoi ses adversaires sont-ils étonnés?

GRAMMAIRE

La conséquence

• Pour exprimer dans une subordonnée la conséquence d'un fait exprimé dans la principale, on emploie les expressions suivantes (la subordonnée est toujours introduite par *que*):

si (+ adjectif ou adverbe) que	de (telle) sorte que
tellement que	de (telle) manière que
tant que	de (telle) façon que
à tel point que	si bien que

• La subordonnée est soit à l'indicatif soit au subjonctif.

Indicatif

• On emploie l'indicatif quand la conséquence exprimée par le verbe est *réelle*.

EXEMPLE:

«L'oubli des offenses est chez moi *si* fort *qu*'il m'arrive de sourire...»

Mettez le verbe à la forme qui convient:

1. Il a *tant* souffert *que* son visage (s'abîmer; passé).
2. Son visage a *tellement* changé *que* je ne le (reconnaître) pas.
3. Ses cheveux ne peuvent se peigner, *si bien qu*'il (avoir) toujours une coiffure hirsute.
4. La haine lui est *à tel point* inconnue *qu*'il (sourire) à ses ennemis.
5. J'éprouve de la gêne devant autrui, *de telle sorte qu*'on me trouve affecté et maladroit.

Donnez au moins deux équivalents pour chacune des phrases suivantes:

EXEMPLES:
Ses mèches s'aplatissent *de telle sorte qu*'il a l'air minable.
= Ses mèches s'aplatissent, *si bien que* ...
    " "   " "   *de telle manière que* ...

1. Ils sont *à tel point* étonnés *que* je perds contenance.
2. Son squelette a *tellement* changé *que* son nez s'est busqué.
3. Ses chairs se sont modifiées *de telle sorte que* son visage est informe.
4. Ses mains sont *si* expressives *qu*'on les admire.
5. Il est très réservé, *si bien que* les gens le croient méprisant.

Subjonctif

   • On emploie le subjonctif dans la subordonnée quand la consé-quence exprimée par le verbe est possible, espérée, voulue etc. mais pas réelle au moment où l'on parle. On peut trouver le subjonctif après les expressions *de (telle) sorte, façon, manière que*.

EXEMPLE:
Comparez:
—Il a changé sa coiffure de sorte qu'on ne le *reconnaît* pas (indicatif: conséquence *réelle*: on ne le reconnaît pas).
—Il a changé sa coiffure de sorte qu'on ne le *reconnaisse* pas (subjonctif: conséquence *souhaitée*: il ne veut pas qu'on le reconnaisse).

Mettez les verbes entre parenthèses au subjonctif.
1. Il agite beaucoup ses mains de façon qu'on (pouvoir) les admirer.
2. Il s'aplatit les cheveux de sorte que sa coiffure ne (paraître) pas affectée.
3. Il passe rapidement de la réserve à l'épanchement de manière qu'on ne le (prendre) pas pour un homme méprisant.

Modifiez les phrases suivantes pour exprimer: a) une conséquence *réelle*, b) une conséquence *voulue*:

EXEMPLE:
Il a changé sa coiffure; on ne le reconnaît pas.
= Il a changé sa coiffure de sorte qu'on ne le reconnaît pas.
Il a changé sa coiffure; il ne veut pas qu'on le reconnaisse.
= Il a changé sa coiffure de sorte qu'on ne le reconnaisse pas.

1. Il a changé d'adresse; on ne sait pas où il habite.
   Il a changé d'adresse; il ne veut pas qu'on sache où il habite.
2. Cet auteur écrit dans un style simple; tout le monde le comprend.
   Cet auteur écrit dans un style simple; il veut que tout le monde le comprenne.
3. Il se peint lui-même; on peut l'imaginer.
   Il se peint lui-même; il veut qu'on puisse l'imaginer.

Les temps passés; mélange des temps.

Passé composé

• Le passé composé n'est pas toujours interchangeable avec le passé simple. Dans certains cas, il exprime un sens qui ne peut pas être exprimé par le passé simple. Ce passé composé décrit une action ou un état passés *qui ont un rapport avec le présent* (par exemple, l'action passée a une influence sur la situation présente, ou l'action passée continue dans le présent).

EXEMPLE:

«Je n'*ai jamais eu* un beau visage». (le fait exprimé par le passé composé continue dans le présent).

Imparfait

EXEMPLE:

«La jeunesse me *tenait* lieu de beauté».

Cet imparfait exprime une condition permanente dans le passé (quand l'auteur était jeune).

Plus que parfait

EXEMPLE:

«Et j'ai remarqué que celui de ma mère *s'était busqué* sur son lit de mort».

• Le plus que parfait exprime une action antérieure à celle exprimée par le verbe de la principale (le nez de sa mère s'est busqué *avant* qu'il le remarque).

■

Sur le modèle des deux premières phrases du texte, faites des groupes de deux phrases avec les éléments suivants. Dans chaque groupe, utilisez le *passé composé à la forme négative* avec *jamais* dans la première phrase, et l'*imparfait* dans la seconde.

EXEMPLE:

Je (aimer) la campagne. Quand je (être) enfant j'y (passer) toutes mes vacances et je (s'y ennuyer).

= Je n'ai jamais aimé la campagne. Quand j'étais enfant j'y passais toutes mes vacances et je m'y ennuyais.

1. Je (comprendre) les mathématiques. Quand je (être) étudiant je (avoir) toujours de très mauvaises notes dans cette matière.

2. Dans ma famille, on (avoir) le nez droit. Celui de mon père (être) très busqué.

3. Je (avoir) beaucoup de cheveux. Quand je (avoir) vingt ans, je les (perdre) déjà.

4. Je (tenir rancune) à mes ennemis. Autrefois je (s'étonner) quand quelqu'un me (témoigner) de la haine.

5. Je (avoir l'air) aimable. Autrefois, je (essayer) de me corriger.

Sur le modèle des sept premières phrases du texte (du début à «lit de mort»), écrivez un paragraphe en observant la même succession des temps (Passé composé / imparfait / présent / imparfait / présent / passé composé / plus que parfait).

Pronoms objets indirects exprimant la possession (devant un nom désignant une partie du corps)

EXEMPLE:

«trop de tempêtes *m*'ont chiffonné *le* front» (ie: ont chiffonné mon front).

• Quand l'objet du verbe est une partie du corps, on emploie en général un pronom objet indirect devant le verbe pour indiquer le possesseur de cette partie du corps. On emploie l'article défini devant le nom désignant la partie du corps.

• NOTE: La construction avec le possessif devant le nom désignant une partie du corps n'est pas incorrecte grammaticalement. Elle est parfois utilisée dans la conversation, ainsi qu'en style littéraire. Mais ces emplois ont des connotations complexes. Il est préférable, pour l'étudiant, de toujours respecter la règle indiquée ci-dessus. Notons néanmoins que quand le nom désignant la partie du corps est accompagné d'un adjectif, cette règle ne joue pas, et on utilise le possessif devant le nom (exemple: le travail manuel a durci leurs mains délicates).

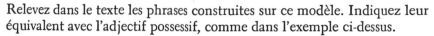

Relevez dans le texte les phrases construites sur ce modèle. Indiquez leur équivalent avec l'adjectif possessif, comme dans l'exemple ci-dessus.

Transformez les phrases suivantes en remplaçant le possessif par un pronom objet indirect:

1. Coupe tes cheveux.
2. Sa mère est tombée et a cassé sa jambe droite.
3. La lecture a abîmé ses yeux.
4. Le travail manuel a durci leurs mains.
5. L'âge a courbé son dos.
6. Le soleil a desséché ta peau.
7. Il lui a pardonné et il a serré sa main.
8. Les spectateurs tordent leur cou pour voir.
9. Nous rongeons nos ongles quand nous réfléchissons.
10. Elle a mordu ses lèvres pour ne pas rire.

Décrivez en un paragraphe (30 à 50 mots) l'effet de la souffrance et des soucis, ou de l'âge, ou du travail intellectuel, ou du travail manuel, sur l'aspect physique d'un personnage.

VOCABULAIRE ET STYLE

Les caractéristiques physiques

le nez	peut être	droit busqué (courbe) aquilin (en bec d'aigle) retroussé (familier: en trompette) épaté (= court, gros et large) camus (court et plat)
les joues		creuses pleines, rebondies les pommettes saillantes
le menton		pointu en galoche (proéminent et se recourbant vers le haut)

le teint	mat clair pâle coloré
les cheveux	épais clairsemés bouclés frisés ondulés raides crépus une mèche de cheveux / une boucle de cheveux une coiffure hirsute
le front	grand, haut bas bombé fuyant
les rides	une ride profonde, creusée entre les sourcils «sa figure, rayée par des rides prématurées, offrait des signes de dureté». (Balzac, *Le Père Goriot*, portrait de Vautrin) «Son visage maigre . . . était plus plissé de rides qu'une pomme de reinette flétrie». (Flaubert, *Madame Bovary*, portrait d'une vieille servante)

les mains	longues mains expressives
	des mains osseuses
	   fines
	   grasses
	   potelées
	«Il avait . . . des mains épaisses, carrées, et fortement marquées aux phalanges par des bouquets de poils touffus et d'un roux ardent». (Balzac, *Le Père Goriot*, portrait de Vautrin)
	«des manches de sa camisole rouge dépassaient deux longues mains à articulations noueuses». (Flaubert, *Madame Bovary*, la vieille servante)

le visage

> une tête ingrate / un visage ingrat (d'un aspect désagréable)
>
> rond
> ovale
> carré
> long
> triangulaire
>
> avoir de gros traits
> avoir les traits fins
> avoir les traits réguliers

allure générale

> Cocteau n'est «ni grand ni petit».
>
> Vautrin: «Il avait les épaules larges, le buste bien développé, les muscles apparents».
>
> Grandet: «Au physique, Grandet était un homme de cinq pieds, trapu, carré, ayant des mollets de douze pouces de circonférence, des rotules noueuses et de larges épaules». (Balzac, *Eugénie Grandet*)
>
> Madame Grandet: «Madame Grandet était une femme sèche et maigre, jaune comme un coing, gauche, lente».
>
> un personnage de *La Confession de Minuit* (G. Duhamel): «Il est de taille médiocre, le buste long, les jambes courtes. La maigreur des animaux mal nourris».

Ecrivez un paragraphe dans lequel vous ferez le portrait physique d'un personnage de votre choix. Choisissez les traits caractéristiques. Vous pouvez employer des images («jaune comme un coing», «ridé comme une pomme» etc.).

Expression du changement dans l'aspect physique

Verbes pronominaux

EXEMPLES:

«Mon nez, que j'avais droit, *se busque* comme celui de mon grandpère»: le verbe pronominal exprime le *changement*.

«Sa figure ... *se rida* démesurément; son front *se plissa*, sa mâchoire *se dessina*». (Balzac, *Le Père Goriot*)

∎

Exprimez le changement au moyen de verbes pronominaux.

EXEMPLE:

Les souffrances ont creusé une ride entre ses sourcils. = Une
ride s'est creusée entre ses sourcils.

Les souffrances ont
$\begin{cases} \text{creusé ses joues} \\ \text{tordu ses sourcils} \\ \text{abaissé les coins de sa bouche} \\ \text{dessiné ses pommettes} \\ \text{alourdi ses paupières} \\ \text{accusé ses traits} \end{cases}$

Verbes en -ir

• Un certain nombre de verbes en -ir formés sur des adjectifs servent
à exprimer des changements dans l'aspect physique. La plupart de ces
verbes peuvent avoir deux sens: devenir + adjectif, ou rendre + adjectif.

EXEMPLES:

«Ses yeux bleus si vivaces prirent des teintes ternes et gris de
fer, *ils avaient pâli*». (Balzac, *Le Père Goriot*) *pâlir* = devenir
pâle.

«Le climat des Indes *vieillit* promptement un Européen».
(Balzac, *Eugénie Grandet*) *vieillir* = rendre vieux.

Voici quelques-uns de ces verbes:

pâlir	blanchir
durcir	noircir
vieillir	rougir
rajeunir	jaunir
embellir	brunir
enlaidir	bleuir
grossir	verdir

• Tous ces verbes veulent dire soit *devenir* + adjectif (devenir blanc,
pâle, dur, vieux etc.) soit *rendre* + adjectif (rendre blanc, pâle, dur,
vieux etc.).

• Quelques verbes en -ir ont seulement le sens de *rendre* + adjectif.
On les reconnaît à ce qu'ils commencent par un *a* ajouté à l'adjectif.
Exemples: *amincir*: rendre mince. *amaigrir*: rendre maigre. amollir: ren-
dre mou.

• NOTE: dans le texte de Cocteau, *mollir* est utilisé anormalement dans le sens de *amollir*: «trop de tempêtes…ont…molli les joues creuses…» Normalement, *mollir* signifie: *devenir mou.*

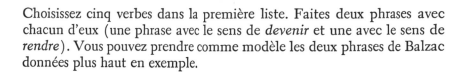

Choisissez cinq verbes dans la première liste. Faites deux phrases avec chacun d'eux (une phrase avec le sens de *devenir* et une avec le sens de *rendre*). Vous pouvez prendre comme modèle les deux phrases de Balzac données plus haut en exemple.

Expression des rapports entre le physique et le moral

• Un portrait physique est rarement uniquement physique. Le plus souvent, l'autcur indique des rapports entre le physique du personnage et sa personnalité, son caractère.

Action du moral sur le physique

EXEMPLES:
«Son visage avait une expression inquiète qui le vieillissait». (Julien Green, *Mont Cinère*)

«Sa physionomie, que des chagrins secrets avaient insensiblement rendue plus triste de jour en jour, semblait le plus désolée…» (Balzac, *Le Père Goriot*)

Relevez dans le texte de Cocteau la phrase qui exprime une influence du moral sur le physique.

Décrivez un visage qui reflète: la joie; la surprise; la peur.

Le physique exprime ou révèle le moral

EXEMPLES:
«Ses yeux gris mélangés de noir exprimaient une douceur, une résignation chrétiennes». (Balzac, *Le Père Goriot*)

«A la manière dont il lançait un jet de salive, il annonçait un sang-froid imperturbable qui ne devait pas le faire reculer de-

vant un crime pour sortir d'une position équivoque». (Balzac,
Le Père Goriot)

■

Trouvez dans le texte deux exemples de détails physiques exprimant ou
révélant le moral.

Reprenez le portrait physique déjà fait à la page 21. Complétez-le en
établissant des rapports entre le physique et le moral (le moral explique
le physique; le physique exprime le moral).

Portrait moral

Suggéré par le portrait physique

Quels traits du caractère de Cocteau apparaissent dans la phrase: «Trop
de tempêtes internes ...»?

Analyse psychologique

■

Quels traits du caractère de Cocteau sont révélés par l'analyse psychologique dans la phrase: «Cette fausse morgue ...»?

Affirmation d'un trait psychologique illustré par un exemple

EXEMPLE:
«La haine m'est inconnue». (affirmation)
«L'oubli des offenses ...» (exemple; manifestation du trait
psychologique)

■

L'exemple donné par Cocteau ici est une scène *comique* et *paradoxale*.
Montrez en quoi consiste le comique. Montrez que c'est un comique de
situation, mais qui repose entièrement sur la psychologie, le caractère du
personnage. En quoi consiste le paradoxe? Quelle phrase l'exprime le
plus nettement et de la façon la plus amusante? Qu'est-ce qui rend la
scène vivante?

En vous inspirant de cet exemple, énoncez un trait psychologique d'un
personnage, et illustrez-le par une scène (40 à 50 mots environ).

La vision du personnage par autrui

Le texte n'est pas seulement un portrait de Cocteau vu par lui-même. Il décrit aussi l'impression produite par le personnage sur les autres, et la manière dont ils interprètent son physique et ses attitudes.

EXEMPLE:
«Cette coiffure hirsute semble être le signe d'une affectation».

Trouvez dans le texte d'autres exemples de Cocteau vu par autrui.

Décrivez deux ou trois traits du comportement (ou de la coiffure, ou du vêtement) d'un personnage. Dites comment les autres gens interprètent ces traits (quelles conclusions ils en tirent sur son caractère, ses défauts). Puis dites comment le personnage lui-même explique ces traits.

TEXTES COMPLEMENTAIRES

I. Luisa Casati était jadis brune. Grande, osseuse, sa démarche, ses gros yeux et ses dents de cheval de course, sa nature timide ne correspondaient pas au type conventionnel des beautés italiennes de l'époque. Elle étonnait. Elle ne plaisait pas.

Un jour elle décida de pousser son type à l'extrême. Il ne s'agissait plus de plaire, de déplaire ni d'étonner. Il s'agissait de stupéfier. Elle sortit de son cabinet de toilette comme d'une loge d'actrice. Elle était rousse. Les mèches se hérissaient et se tordaient autour d'une tête de Gorgone si peinte, que ses yeux, que sa bouche à forte denture, barbouillés de noir et de rouge, détournaient instantanément le regard des hommes des autres bouches et des autres yeux. Ils ne disaient plus: «Elle est quelconque». Ils se disaient: «Quel dommage qu'une femme si belle se barbouille de cette façon-là».

Jean Cocteau, *La Difficulté d'être*

II. Je suis d'une taille médiocre, libre, et bien proportionnée. J'ai le teint brun, mais assez uni; le front élevé et d'une raisonnable grandeur; les yeux noirs, petits et enfoncés, et les sourcils noirs et épais, mais bien tournés.[1] Je serais fort empêché à dire [2] de quelle sorte j'ai le nez fait, car il n'est ni camus, ni aquilin, ni gros, ni pointu, au moins à ce que je crois. Tout ce que je sais, c'est qu'il est plutôt grand que petit, et qu'il descend un peu trop en bas. J'ai la bouche grande, et les lèvres assez rouges d'ordinaire, et ni bien ni mal taillées. J'ai les dents blanches, et passablement bien rangées. On m'a dit autrefois que j'avais un peu trop de menton: je viens de me tâter, et de me regarder dans le miroir, pour savoir ce qui en est; et je ne sais pas trop bien qu'en juger. Pour le tour [3] du visage, je l'ai ou carré, ou en ovale; lequel des deux, il me serait fort difficile de le dire. J'ai les cheveux noirs, naturellement frisés, et avec cela assez épais et assez longs pour pouvoir prétendre en belle tête.[4] J'ai quelque chose de chagrin et de fier dans la mine: cela fait croire à la plupart des gens que je suis méprisant, quoique je ne le sois point du tout. J'ai l'action fort aisée, et même un peu trop, et jusques à [5] faire beaucoup de gestes en parlant. Voilà naïvement comme je pense que je suis fait au dehors, et l'on trouvera, je crois, que ce que je pense de moi là-dessus n'est pas fort éloigné de ce qui en est.[6]

Portrait de La Rochefoucauld par lui-même

---

[1] *tournés:* formés

[2] *Je serais fort empêché à dire* (archaïque): j'aurais beaucoup de mal à dire; il me serait très difficile de dire

[3] *le tour:* la forme

[4] *prétendre en belle tête* (archaïque): to claim that I have a fine head of hair

[5] *jusques à* (archaïque): jusqu'à; au point de

[6] *de ce qui en est:* de la réalité; de la vérité

Questions sur les textes complémentaires

sur *Luisa Casati*

Bien que le personnage décrit soit très différent, ce portrait a beaucoup de points communs avec celui de Cocteau par lui-même. Etudiez ces points communs :

a) Relevez quelques détails physiques comparables dans les deux portraits. Relevez un trait psychologique qui rapproche les deux personnages.

b) Une grande partie du portrait de Cocteau par lui-même est faite «du point de vue des autres». Le portrait de Luisa Casati est fait *entièrement* de ce point de vue. Montrez-le.

c) Les deux portraits se terminent par une *scène amusante*. Dans les deux cas, le comique de la scène naît des *rapports* entre le personnage et les autres gens. Expliquez.

d) Montrez que, dans les deux portraits, ce rapport consiste en une *situation paradoxale*. Dites exactement en quoi consiste le paradoxe dans chaque texte. Montrez que, dans les deux cas, la situation paradoxale existe à cause d'une *erreur* (de mémoire dans le premier texte, de jugement dans le second). Qui fait cette erreur dans le portrait de Cocteau? Et dans le portrait de Luisa Casati?

sur *La Rochefoucauld*

Comparez ce portrait de La Rochefoucauld par lui-même avec celui de Cocteau. Considérez les points suivants :

a) le souci d'objectivité des deux auteurs.

b) les éléments de leur portrait (ce qu'ils décrivent).

c) la place de l'opinion d'autrui dans les deux textes.

REDACTION

Faites votre auto-portrait en utilisant le vocabulaire des caractéristiques physiques (*Vocabulaire et Style*, aux pages 19, 20 et 21) et les divers procédés étudiés dans le chapitre (expression du changement physique; expression des rapports entre le physique et le moral; portrait moral suggéré par le physique; portrait moral par analyse psychologique; trait psychologique illustré par l'exemple; opinion des autres).

Ainsi, avec les heures du sommeil, les souvenirs, la lecture de mon fait

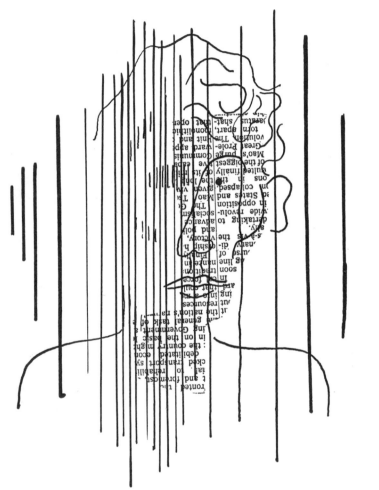

divers et l'alternance de la lumière et de l'ombre, le temps a passé.

Albert Camus

L'Etranger

Meursault, le narrateur, a tué un homme presque par accident, dans des circonstances absurdes que lui-même ne parvient pas à expliquer clairement. Il attend d'être jugé et raconte ses réactions à la vie en prison.

A PART ces ennuis, je n'étais pas trop malheureux. Toute la question, encore une fois, était de tuer le temps. J'ai fini par ne plus m'ennuyer du tout à partir de l'instant où j'ai appris à me souvenir. Je me mettais quelquefois à penser à ma chambre et, en imagination, je partais d'un coin pour y revenir en dénom- 5
brant mentalement tout ce qui se trouvait sur mon chemin. Au début, c'était vite fait. Mais chaque fois que je recommençais, c'était un peu plus long. Car je me souvenais de chaque meuble, et, pour chacun d'entre eux, de chaque objet qui s'y trouvait et, pour chaque objet, de tous les détails et pour les détails eux- 10
mêmes, une incrustation, une fêlure ou un bord ébréché, de leur

couleur ou de leur grain. En même temps, j'essayais de ne pas
perdre le fil de mon inventaire, de faire une énumération complète. Si bien qu'au bout de quelques semaines, je pouvais passer
15   des heures, rien qu'à dénombrer ce qui se trouvait dans ma
chambre. Ainsi, plus je réfléchissais et plus de choses méconnues
et oubliées je sortais de ma mémoire. J'ai compris alors qu'un
homme qui n'aurait vécu qu'un seul jour pourrait sans peine
vivre cent ans dans une prison. Il aurait assez de souvenirs pour
20   ne pas s'ennuyer. Dans un sens, c'était un avantage.

Il y avait aussi le sommeil. Au début, je dormais mal la nuit
et pas du tout le jour. Peu à peu, mes nuits ont été meilleures et
j'ai pu dormir aussi le jour. Je peux dire que, dans les derniers
mois, je dormais de seize à dix-huit heures par jour. Il me restait
25   alors six heures à tuer avec les repas, les besoins naturels, mes
souvenirs et l'histoire du Tchécoslovaque.[1]

Entre ma paillasse et la planche du lit, j'avais trouvé, en effet,
un vieux morceau de journal presque collé à l'étoffe, jauni et
transparent. Il relatait un fait divers [2] dont le début manquait,
30   mais qui avait dû se passer en Tchécoslovaquie. Un homme était
parti d'un village tchèque pour faire fortune. Au bout de vingt-
cinq ans, riche, il était revenu avec une femme et un enfant. Sa
mère tenait un hôtel avec sa sœur dans son village natal. Pour
les surprendre, il avait laissé sa femme et son enfant dans un
35   autre établissement, était allé chez sa mère qui ne l'avait pas
reconnu quand il était entré. Par plaisanterie, il avait eu l'idée
de prendre une chambre. Il avait montré son argent. Dans la
nuit, sa mère et sa sœur l'avaient assassiné à coups de marteau
pour le voler et avaient jeté son corps dans la rivière. Le matin,
40   la femme était venue, avait révélé sans le savoir l'identité du

[1] L'histoire du Tchécoslovaque (racontée dans le paragraphe suivant), a aussi
servi de sujet à la pièce de Camus, *Le Malentendu*, écrite à la même époque que
L'Etranger.
[2] Dans les journaux français, on appelle «les faits divers» (littéralement: "miscel-
laneous happenings") les articles qui concernent les accidents, les vols, les meurtres,
etc... On dit aussi «un fait divers» (au singulier, bien que *divers* n'ait de sens qu'au
pluriel) pour désigner un de ces faits, ou un article qui le raconte.

voyageur. La mère s'était pendue. La sœur s'était jetée dans un puits. J'ai dû lire cette histoire des milliers de fois. D'un côté, elle était invraisemblable. D'un autre, elle était naturelle. De toute façon, je trouvais que le voyageur l'avait un peu mérité et qu'il ne faut jamais jouer.   45

Ainsi, avec les heures de sommeil, les souvenirs, la lecture de mon fait divers et l'alternance de la lumière et de l'ombre, le temps a passé. J'avais bien lu qu'on finissait par perdre la notion du temps en prison. Mais cela n'avait pas beaucoup de sens pour moi. Je n'avais pas compris à quel point les jours pouvaient être 50 à la fois longs et courts. Longs à vivre sans doute, mais tellement distendus qu'ils finissaient par déborder les uns sur les autres. Ils y perdaient leur nom.[3] Les mots hier ou demain étaient les seuls qui gardaient un sens pour moi.

L'Étranger, 1942

QUESTIONS

1. Quel était le problème essentiel pour Meursault?
2. Quand a-t-il fini par ne plus s'ennuyer?
3. A quoi pensait-il? De quoi se souvenait-il exactement? Relevez les différents compléments de «je me souvenais de».
4. Comment s'appelle le fait de dénombrer tous les objets d'une pièce (d'une maison, d'un magasin, etc.)?
5. Comment Meursault a-t-il exercé sa mémoire?
6. Qu'a-t-il alors compris?
7. Pourquoi un homme qui n'aurait vécu qu'un seul jour pourrait-il sans peine vivre cent ans dans une prison?
8. Quel est le rôle du sommeil pour Meursault? Pourquoi dormait-il de seize à dix-huit heures par jour?
9. Comment ocupait-il les heures qui restaient?
10. Qu'avait-il trouvé? Où? Qu'est-ce qui était relaté?
11. D'où l'homme était-il parti? Pour quelle raison?
12. Quand était-il revenu? Avec qui?

---

[3] *Ils y perdaient leur nom:* «y» reprend toute la phrase qui précéde. Il faut comprendre: ils perdaient leur nom à cause de cela, pour cette raison (qu'ils finissaient par déborder les uns sur les autres).

13. Où était-il allé, en revenant dans son village? Pourquoi n'avait-il pas emmené sa femme et son enfant?

14. Pourquoi sa mère et sa sœur l'avaient-elles assassiné? Comment savaient-elles qu'il avait de l'argent?

15. De quelle manière l'avaient-elles tué? Où avaient-elles mis le cadavre ensuite?

16. Par qui avaient-elles appris l'identité du voyageur? Pourquoi? Comment s'étaient-elles punies?

17. Quel jugement Meursault porte-t-il sur cette histoire? Expliquez «il ne faut jamais jouer».

18. Comment le temps a-t-il passé pour Meursault?

19. A-t-il perdu la notion du temps? Qu'est-ce qu'il n'avait pas compris avant?

20. Expliquez pourquoi les mots «hier» et «demain» étaient les seuls qui gardaient un sens pour lui.

21. Montrez clairement quel est le plan de ce texte.

GRAMMAIRE

Verbes suivis d'un infinitif.

• Certains verbes sont suivis directement de l'infinitif, d'autres de la préposition *à* + infinitif, d'autres enfin, de la préposition *de* + infinitif.

Verbes suivis d'un infinitif sans préposition

EXEMPLE:
«il ne *faut* jamais jouer».

Relevez dans le texte les verbes suivis d'un infinitif sans préposition.

Faites une phrase complète avec les mots suivants, en employant un infinitif complément:

EXEMPLE:
falloir / jouer
Il ne *faut* jamais jouer.

vouloir / se pendre
devoir / partir de chez soi
désirer / surprendre sa mère et sa sœur

pouvoir / se souvenir de (quelque chose, quelqu'un)
falloir / dormir douze heures par nuit
espérer / revenir chez soi
paraître / s'ennuyer
aimer mieux / lire des histoires
savoir / faire fortune
souhaiter / être reconnu par sa mère

Continuez le même exercice en employant successivement les cinq premiers verbes avec *partir*, et les cinq derniers avec *ne pas s'ennuyer*. (Remarquez la place de la négation).

Verbes suivis de la préposition à + infinitif

EXEMPLE:
«*J'ai appris* à me souvenir».

Relevez dans le texte les verbes suivis de la préposition à + infinitif.

Faites une phrase complète avec les mots suivants en employant un infinitif complément:

EXEMPLE:
apprendre à / se souvenir
J'ai appris à me souvenir

se mettre à / dénombrer des objets
commencer à / penser à sa chambre
s'habituer à / vivre en prison
passer son temps à / lire le journal
continuer à / tuer le temps

Utilisez chacune des expressions suivantes comme complément d'un verbe suivi de la préposition à + infinitif.

EXEMPLE:
dormir dix-huit heures par jour
Il *s'était habitué à* dormir dix-huit heures par jour. (ou bien:
Il *réussissait à* dormir . . .)

revoir son fils
passer ses jours en prison
vivre avec ses souvenirs

assassiner le voyageur
ne pas s'ennuyer

Verbes suivis de la préposition de + infinitif

EXEMPLE:
«*J'essayais de* . . . faire une énumération complète».

Relevez dans le texte les verbes suivis de la préposition de + infinitif.

Faites une phrase complète avec les mots suivants en employant un infinitif complément:

EXEMPLE:
essayer de / faire une énumération
Dans la prison, il *essayait de* faire une énumération complète
des objets de sa chambre.

finir de / lire les faits divers
regretter de / avoir assassiné son fils
décider de / voler un étranger
accuser de / avoir tué un Arabe
interdire de / se promener dans la cour

Faites vous-même une phrase en employant les verbes suivants:

mériter de   refuser de
être obligé de   permettre de
oublier de

Prépositions suivies d'un infinitif

• Certaines prépositions (*à, de, pour, par, sans*) peuvent être suivies de l'infinitif, même si elles ne dépendent pas d'un verbe. En anglais, ces prépositions sont souvent suivies du gérondif (*without* thinking, *by* trying, etc.). En français, seule la préposition *en* peut être suivie du participe présent (*en* parlant).

Relevez dans le texte les prépositions ne dépendant pas d'un verbe et employées devant un infinitif.

EXEMPLE:

«Un homme était parti ... *pour* faire fortune».

Faites une phrase complète en utilisant les termes suivants:

finir par / s'habituer
le problème est de / accepter la solitude
commencer par / se révolter
difficile à / supporter
pour / se punir
il est possible de / imaginer chaque objet
une semaine à / vivre
sans / avoir la notion du temps
assez ... pour / mériter un châtiment
la nécessité de / tuer le temps

A *et* de *devant un infinitif après adjectif, nom ou pronom.*

• On emploie *à* quand l'action décrite par l'infinitif concerne une personne, chose ou notion mentionnée dans la phrase *avant* l'infinitif.

EXEMPLES:

«Il me restait six heures *à* tuer». (tuer quoi? six heures. «six heures» est placé *avant* l'infinitif).

Les jours sont «longs *à* vivre».

• On emploie *de* quand l'action décrite par l'infinitif concerne une personne, chose ou notion mentionnée dans la phrase *après* l'infinitif.

EXEMPLES:

Il éprouvait le besoin *de* tuer le temps. (tuer quoi? le temps. «le temps» est placé *après* l'infinitif).

Il est difficile *d'*oublier le monde.

Dans les phrases suivantes, remplacez la préposition *de* par la préposition *à* en faisant les changements nécessaires.

EXEMPLE:

Il est difficile *d'*oublier le monde. = Le monde est difficile *à* oublier.

1. Il est agréable *de* regarder le ciel.
2. Il n'est pas facile *de* punir un criminel.
3. Il lui était pénible *de* lire ce fait divers.

Complétez les phrases suivantes avec la préposition qui convient:

La solitude lui était difficile _____ supporter, et il lui était agréable _____ penser qu'il n'avait plus que trois semaines _____ passer en prison. Un vieux journal relatant un fait divers n'était pas très intéressant _____ lire, mais il lui était souvent utile _____ lire pour oublier.

Commencer à / commencer par / finir de / finir par

EXEMPLES:

J'ai fini *par* m'ennuyer. = À la fin, je me suis ennuyé.

J'ai fini *de* m'ennuyer. = J'ai cessé de m'ennuyer, maintenant, je ne m'ennuie plus.

J'ai commencé *à* m'ennuyer = «commencer à» indique simplement le début d'une action ou d'un état.

J'ai commencé *par* m'ennuyer = Au début, je me suis ennuyé. (mais plus tard, je ne me suis plus ennuyé); l'infinitif qui suit «commencer par» exprime une action ou un état qui est le premier de deux ou plusieurs.

Récrivez les phrases suivantes en employant *finir de* ou *finir par* selon le cas:

1. Elle ne pleure plus.
2. Ils ont finalement révélé la vérité.
3. A la fin, je n'avais plus conscience du temps.
4. Quand il ne lit plus, il s'endort.

Récrivez les phrases suivantes en employant *commencer à* ou *commencer par* selon le cas:

1. Au début, on compte les jours.
2. D'abord, il se révolta.
3. Lorsqu'il se mettait à réfléchir, il était bien malheureux.
4. Le voyageur déclara d'abord qu'il avait de l'argent.

Trop ... pour, assez ... pour.

(Devant un nom: trop *de* ... pour, assez *de* ... pour).

■

Répondez aux questions suivantes en utilisant *trop ... pour* ou *assez ... pour:*

> **EXEMPLE:**
> S'ennuyait-il en prison? (Non; avoir des souvenirs)
> Non; il avait *assez de* souvenirs *pour* ne pas s'ennuyer en prison.

1. A-t-il pleuré quand sa mère est morte? (Non; être indifférent)
2. Etait-il fatigué? (Non; dormir)
3. Les femmes ont-elles hésité à assassiner le voyageur? (Non; être cruel)
4. Pouvait-il oublier l'histoire du Tchécoslovaque? (Non; lire souvent)
5. Connaissez-vous le prisonnier? (Oui; le décrire)
6. Le voyageur avait-il de l'argent? (Oui; payer sa chambre)

Exercice général

Complétez les phrases suivantes avec les prépositions qui conviennent lorsqu'une préposition est nécessaire:

Le voyageur dit _____ plaisantant qu'il avait beaucoup d'argent. _____ le reconnaître, les deux femmes décidèrent _____ le tuer _____ le voler. Elles commencèrent _____ lui donner des coups de marteau avant _____ le porter jusqu'à la rivière. La sœur aida sa mère _____ jeter le corps dans l'eau. Elles réussirent _____ ne pas être vues, et espéraient _____ ne jamais être découvertes. Mais, le matin, la femme du voyageur, voulant _____ retrouver son mari, demanda aux femmes _____ lui dire où se trouvait le voyageur. Elles, qui ne s'attendaient pas _____ être questionnées, refusèrent d'abord _____ parler. Mais lorsqu'elles apprirent l'identité de l'homme qu'elles avaient tué, et qu'il était venu _____ les voir et leur donner cet argent, alors elles comprirent qu'il ne leur était plus possible _____ vivre. La vérité était dure _____ supporter. S'accusant _____ avoir tué, _____ le savoir, celui qu'elles aimaient, elles finirent _____ se punir de leur crime _____ se tuant. Elles avaient assez mal agi _____ mériter ce châtiment.

Le plus que parfait

• Dans un récit au passé (passé simple, passé composé, imparfait), le plus que parfait exprime une action ou un état *antérieur* à un autre fait ou état passé.

EXEMPLES:

«Il relatait un fait divers . . . qui *avait dû* se passer en Tchécoslovaquie. Un homme *était parti* . . .»

Le fait divers est antérieur au récit dans le journal.

■

Relevez les plus que parfaits du texte. Dans quel passage sont-ils particulièrement groupés? Expliquez pourquoi ce passage est écrit au plus que
parfait.

Expliquez le rapport qui existe entre les temps de ces phrases:

«Sa mère *tenait* un hôtel avec sa sœur dans son village natal. Pour les
surprendre, il *avait laissé* sa femme et son enfant dans un autre établissement.»

«La mère *s'était pendue*. La sœur *s'était jetée* dans un puits. *J'ai dû* lire
cette histoire des milliers de fois. D'un côté, ell *était* invraisemblable.
D'un autre, elle *était* naturelle. De toute façon, je *trouvais* que le voyageur *l'avait* un peu *mérité* et qu'il ne *faut* jamais jouer.»

Mettez les verbes entre parenthèses au temps passé qui convient: plus
que parfait ou imparfait.

Pourquoi Meursault _____ (être) en prison? Il ne le _____
(savoir) pas exactement lui-même. Il _____ (commettre) un crime,
disait-on. Il _____ (tuer) un Arabe. Plus même, il _____ (avoir
l'intention) de le tuer. Mais jamais, même au moment de cette affaire, il
ne _____ (se sentir) responsable. Maintenant, quand il y songeait,
il ne _____ (sentir) qu'une grande indifférence. En prison, il
_____ (s'ennuyer), au début. Et après quelque temps, il _____
(s'habituer). Depuis, ses occupations étaient bien précises: il _____
(dénombrer) mentalement les objets de sa chambre, il _____
(manger), il _____ (dormir), et il _____ (lire) l'histoire du
Tchécoslovaque, qu'il _____ (trouver) sur un morceau de journal
collé à sa paillasse.

Comparez: un récit au passé, et le même récit au présent.

EXEMPLE:

Au passé: «Sa mère *tenait* un hôtel avec sa sœur dans son village natal. Pour les surprendre, il *avait laissé* sa femme . . .»

Mettons le récit au présent: «Sa mère *tient* un hôtel avec sa sœur dans son village natal. Pour les surprendre, il *a laissé*...» (Le passé composé remplace alors le plus que parfait pour exprimer l'antériorité.)

Récrivez le texte de l'exercice précédent au présent.

VOCABULAIRE ET STYLE

L'Expression du temps

Remarquez l'abondance des mots et expressions ayant un rapport avec le temps. Voici les plus courants:

—tuer le temps
 passer son temps (des heures, des mois, etc.) à (+ infinitif)
 perdre (avoir) la notion du temps
 s'ennuyer
 se souvenir (de)
 dormir la nuit (le jour)

—à partir de l'instant où
 au début (à la fin)
 en même temps
 au bout de (trois semaines, une heure, etc.)
 par jour

Laquelle des deux expressions «tuer le temps» et «passer son temps» est la plus imagée? Pourquoi? Comment, dans cette expression, le temps est-il considéré? Quel sentiment de la personne est suggéré (bonheur, ennui, etc.)?

Quand perd-on la notion du temps? Donnez plusieurs exemples.

Faites des phrases en utilisant les expressions en italiques et en prenant comme modèles les phrases suivantes:

1. Il est parti *au bout de* quelques minutes.
2. A *partir de l'instant ou* il est entré, l'atmosphère a changé.
3. Il pleurait et riait *en même temps*.

4. *Au début*, le prisonnier souffrait beaucoup de ne parler à personne.

5. Une fois *par jour*, on leur permettait de se promener dans la cour.

Le ton

La lecture de ce texte donne une impression générale de *froideur*, de *sécheresse*. Essayez de trouver pourquoi en considérant: la longueur des phrases, leur structure (ordre des mots, variété ou similitude des constructions), la présence (ou l'absence) d'adjectifs descriptifs, de verbes de sentiments, de manifestations quelconques d'émotion (soit dans le vocabulaire soit dans les tournures des phrases: interrogations, exclamations, par exemple).

Les mots de liaison

Dans le premier paragraphe, de nombreuses phrases commencent par un mot (conjonction, adverbe) exprimant une liaison *temporelle* (exemple: quand) ou *logique* (exemple: car).

Relevez ces mots (il y en a sept depuis «Au début...» jusqu'à ... cent ans dans une prison»), en indiquant s'ils ont une valeur temporelle ou logique.

Après avoir soigneusement étudié leur sens dans le passage, écrivez un texte utilisant ces sept mots de liaison dans le même ordre.

L'effort intellectuel methodique

Ce passage décrit les efforts de Meursault pour vaincre l'ennui. Relevez dans le vocabulaire et le style tout ce qui décrit la *discipline* et l'*effort* intellectuels; relevez aussi les mots qui expriment la *réussite* de ces efforts.

EXEMPLE:
«j'*ai appris* à me souvenir».

Le raisonnement

■

Montrez que chaque paragraphe contient un *raisonnement* et se termine par une *conclusion* tirée par Meursault. Montrez que cette conclusion est à chaque fois *logique* et *positive*.

EXEMPLE:
Voici le paragraphe qui précède immédiatement le texte cité:

Il y a eu aussi les cigarettes. Quand je suis entré en prison, on m'a pris ma ceinture, mes cordons de souliers, ma cravate et tout ce que je portais dans mes poches, mes cigarettes en particulier. Une fois en cellule, j'ai demandé qu'on me les rende. Mais on m'a dit que c'était défendu. Les premiers jours ont été très durs. C'est peut-être cela qui m'a le plus abattu. Je suçais des morceaux de bois que j'arrachais de la planche de mon lit. Je promenais toute la journée une nausée perpétuelle. Je ne comprenais pas pourquoi on me privait de cela qui ne faisait de mal à personne. Plus tard, j'ai compris que cela faisait partie aussi de la punition. Mais à ce moment-là, je m'étais habitué à ne plus fumer et cette punition n'en était plus une pour moi.

—Meursault ne comprend pas pourquoi on le prive de cigarettes.

—«Plus tard», il comprend le sens de cette interdiction: elle «faisait partie de la punition».

—*Donc* l'interdiction devient logique pour lui, et il l'accepte (de même qu'il accepte d'être en prison: remarquons qu'il ne s'est jamais révolté).

—*Mais* cette tentative pour le punir est un échec, puisqu'il a perdu l'habitude de fumer. *Donc*, la punition finit par être bénéfique. De cette contrainte de la prison, il tire un parti *positif*.

TEXTE COMPLEMENTAIRE

Le jeune Fabrice del Dongo, accusé d'avoir tué un homme, est emprisonné à la Chartreuse de Parme. Il est en prison depuis deux jours. Voici ses réflexions:

«Mais à propos, se dit Fabrice étonné en interrompant tout a coup le cours de ses pensées, j'oublie d'être en colère. Serais-je un de ces grands courages comme l'antiquité en a montré quelques exemples au monde? Suis-je un héros sans m'en douter? Comment, moi qui avais tant peur de la prison, j'y suis, et je ne me souviens pas d'être triste! C'est bien le cas de dire que la peur a été cent fois pire que le mal. Quoi! j'ai besoin de me raisonner pour être affligé de cette prison, qui ... peut durer dix ans comme dix mois? Serait-ce l'étonnement de tout ce nouvel établissement qui me distrait de la peine que je devrais éprouver? Peut-être que cette bonne humeur indépendante de ma volonté et peu raisonnable cessera tout à coup, peut-être en un instant je tomberai dans le noir malheur que je devrais éprouver».

Stendhal, *La Chartreuse de Parme*.

∎

Notez tout ce qui exprime l'*imagination* et les *sentiments* de Fabrice dans ce passage (vocabulaire, structure des phrases).

Comparez l'attitude de Meursault avec celle de Fabrice, et le style des deux passages.

REDACTION

Quelles situations de votre expérience personnelle se rapprochent le plus de celle décrite par Camus (inactivité forcée; absence d'occupations et de distractions)? Dans ces situations, avez-vous fait des efforts pour échapper à l'ennui? ou bien l'avez-vous subi passivement?

D'autre part, vous arrive-t-il de vous ennuyer malgré la présence de moyens de distraction? Comment réagissez-vous dans ce cas? Pouvez-vous comparer les deux formes d'ennui?

A votre avis, peut-on comparer le problème de l'ennui pour un prisonnier et pour un homme libre?

LA pluie froide et tranquille
qui tombe lentement du
ciel gris, frappe mes vitres à
petits coups comme pour m'appeler elle
ne fait qu'un bruit leger et pourtant
la chute de chaque
goutte retentit tristement dans mon coeur

Anatole France

La Vie Littéraire

LA pluie froide et tranquille, qui tombe lentement du ciel gris, frappe mes vitres à petits coups comme pour m'appeler; elle ne fait qu'un bruit léger et pourtant la chute de chaque goutte retentit tristement dans mon coeur. Tandis qu'assis au foyer, les pieds sur les chenets, je sèche à un feu de sarments la boue salubre du chemin et du sillon, la pluie monotone retient ma pensée dans une rêverie mélancolique et je songe. Il faut partir. L'automne secoue sur les bois ses voiles humides. Cette nuit, les arbres sonores frémissaient aux premiers battements de ses ailes dans le ciel agité, et voici qu'une tristesse paisible est venue de l'occident avec la pluie et la brume. Tout est muet. Les feuilles jaunies tombent sans chanter dans les allées; les bêtes résignées se taisent; on n'entend que la pluie; et ce grand silence pèse sur mes lèvres et sur ma pensée. Je voudrais ne rien dire. Je n'ai qu'une idée, c'est qu'il faut partir. Oh! ce n'est pas l'ombre, la pluie et le froid qui me chassent. La campagne me plaît encore

quand elle n'a plus de sourires. Je ne l'aime pas pour sa joie
seulement. Je l'aime parce que je l'aime. Ceux que nous aimons
nous sont-ils moins chers dans leur tristesse? Non, je quitte avec
20   peine ces bois et ces vignes. J'ai beau me dire que je retrouverai
à Paris la douce chaleur des foyers amis, les paroles élégantes des
maîtres et toutes les images des arts dont s'orne la vie, je regrette
la charmille où je me promenais en lisant des vers, le petit bois
qui chantait au moindre vent, le grand chêne dans le pré où
25   paissaient les vaches, les saules creux au bord du ruisseau, le
chemin dans les vignes au bout duquel se levait la lune; je regrette ce maternel manteau de feuillage et de ciel dans lequel on
endort si bien tous les maux.

La Vie littéraire, 1910

QUESTIONS

1. Quelles sont les caractéristiques de la pluie dans la première phrase
   du texte?
2. Quel est l'effet de la pluie sur les sentiments de l'auteur? Sur ses
   pensées?
3. Où se trouve l'auteur lorsqu'il songe?
4. Quelle pensée l'obsède?
5. Selon vous, l'automne est-il arrivé depuis longtemps?
6. A quoi l'automne est-il assimilé (lignes 8–9)? Essayez d'expliquer
   cette image.
7. Notez tout ce qui exprime le silence dans la nature.
8. L'auteur va-t-il partir parce que la nature est triste? Justifiez votre
   réponse. A quoi la nature est-elle assimilée (lignes 16–18)?
9. Qu'est-ce que l'auteur retrouvera à Paris? (résumez-le en quelques
   mots, sans reprendre la phrase du texte).
10. Quel est son sentiment en quittant la campagne?
11. Comment l'auteur considère-t-il la nature dans la dernière phrase?

GRAMMAIRE

Les Pronoms relatifs: qui, que, lequel, dont

• Le mot auquel le pronom relatif renvoie s'appelle l'antécédent du pronom relatif.

EXEMPLE:

«je regrette le petit bois qui chantait au moindre vent»: *bois* est l'antécédent du pronom relatif *qui*.

• Un pronom relatif relie deux propositions. La proposition introduite par le pronom relatif s'appelle une subordonnée relative.

EXEMPLE:

je regrette le petit bois: proposition principale

qui chantait au moindre vent: proposition subordonnée relative introduite par *qui*

Qui, que, lequel

• Le pronom relatif *qui* est *sujet* du verbe de la proposition relative.

EXEMPLE:

qui chantait au moindre vent: qui est sujet de *chantait*.

• Le pronom relatif *que* est *complément d'objet direct* du verbe de la proposition relative.

EXEMPLE:

je quitte la campagne *que* j'aime: *que* est complément d'objet direct de *aime*.

• Si le verbe de la relative est suivi d'une préposition devant un nom, le pronom relatif est *qui* quand l'antécédent est une *personne, lequel* quand l'antécédent est une *chose* (*lequel* s'accorde en genre et en nombre avec l'antécédent: *lesquels*, masc. plur; *laquelle*, fem. sing; *lesquelles*, fem. plur.).

• NOTE: lequel peut aussi être utilisé quand l'antécédent est une personne: à + lequel = auquel / auxquels / à laquelle / auxquelles.

EXEMPLES:

le paysan *à qui* vous parliez possède ces champs.

le paysan *auquel* vous parliez possède ces champs.

«je regrette ce maternel manteau de feuillage *dans lequel* on endort si bien tous les maux».

Cas particulier: si la préposition qui suit le verbe est *de,* on utilise le pronom relatif *dont.*

EXEMPLE:

«je retrouverai les images des arts dont s'orne la vie». (s'orner de)

• **NOTE:** on utilise parfois *lequel* avec *de: de + lequel* = duquel / desquels / de laquelle / desquelles.

Relevez les pronoms relatifs du texte, donnez leur fonction et leur antécédent.

EXEMPLE:

«La pluie froide et tranquille *qui* tombe...» *qui,* pronom relatif *sujet*; antécédent: *pluie.*

Employez *qui* ou *que* selon les cas (notez qu'un pronom relatif ne peut jamais être sous-entendu en français).

1. Il regrette les saules creux _____ bordaient le ruisseau.

2. Nous aimons la tristesse _____ l'automne apporte.

3. Chaque goutte _____ tombe retentit dans mon cœur.

4. Voici le paysage _____ me plaît!

5. Les amis _____ nous retrouverons à Paris ne peuvent remplacer notre chère campagne.

Employez *qui* ou *lequel* selon les cas après les prépositions. Pensez à la *contraction* du pronom relatif (de + lequel = *duquel*, de + lesquels = *desquels*; à + lequel = *auquel*, à + lesquels = *auxquels*).

1. Il se promenait dans les vignes près _____ coule le ruisseau.

2. L'homme à _____ elles appartiennent est un voisin.

3. L'arbre sous _____ la vache est couchée est un chêne.

4. Le chemin par _____ vous êtes venu est plein de boue.

5. Ceux avec _____ vous êtes arrivés sont déjà repartis pour Paris.

6. Il songe au paysage loin _____ il ne peut vivre longtemps.

7. Le paysage _____ je suis habitué est très différent.

8. Voici des gens à _____ la campagne plaît.

9. La pluie et le froid _____ l'automne nous condamne ne me déplaisent pas.

10. Je regarde les vitres sur _____ frappe la pluie.

Emploi et place du pronom dont:

- On emploie *dont* quand le verbe de la relative prend la préposition *de* (voir plus haut).

- On emploie aussi *dont* pour indiquer un *rapport de possession* entre deux mots.

  EXEMPLES:
  je regrette cette *campagne dont* j'aime *le charme* (= j'aime le charme *de* cette campagne)

  l'auteur dont je lis *le livre* vient de mourir (= je lis le livre *de* l'auteur)

- Dans les deux emplois, la place de *dont* reste la même. L'ordre des mots dans la relative reste aussi le même (*dont* + sujet + verbe + complément). Notez que cet ordre des mots est très différent de celui de la construction anglaise équivalente (the countryside whose charm **I** like; the writer whose book I am reading).

Modifiez les phrases suivantes en utilisant *dont* exprimant un rapport de possession:

EXEMPLE:
j'aime le charme de cette campagne / je la regrette = je regrette cette campagne dont j'aime le charme.

1. Les gouttes de la pluie d'automne frappent mes vitres / je l'écoute.
2. Je connais chaque arbre de ce petit bois / je l'aime.
3. Les vignes de leur domaine s'étendent jusqu'à la rivière / ils le visitent.
4. Je retrouverai la compagnie de mes amis / je pense à eux.
5. Je connais les plaisirs de la capitale / je ne la regrette pas.

Celui (ceux, celle, celles) *qui / que / dont*

- Le pronom démonstratif *celui* (= the one) peut être suivi d'un pronom relatif. L'emploi du pronom relatif suit les mêmes règles que dans les autres cas (*qui* sujet, *que* objet direct, *dont* quand le verbe prend la préposition *de*).

Complétez les phrases suivantes par *celui* (ceux, celle, celles) *qui, que* ou *dont* selon le cas:

1. Je regrette surtout ce chemin, _____ traversait les vignes.
2. Des quatre saisons, l'automne est _____ l'auteur préfère.
3. Pensez à vos maîtres, à vos amis, à tous _____ vous attendent à Paris.
4. Les feuilles tombent, et _____ restent sur les arbres jaunissent.
5. La vache noire paissant dans le pré est _____ le fermier nous a parlé.
6. _____ aiment la campagne l'aiment en toute saison.
7. Tous nos amis partent; _____ avec nous sommes venus s'en iront demain.
8. Cette maison est exactement _____ elle rêve.
9. _____ n'aime pas la campagne ne peut comprendre l'émotion de l'auteur.
10. Leurs prairies sont près de la ferme. _____ vous pensiez sont au bord du ruisseau.

Exercice général sur les pronoms relatifs

Complétez par les pronoms qui conviennent:

Je me souviens des vignes _____ nous traversions et du chemin _____ longeait le ruisseau, au bord _____ se penchaient les saules creux. Je revois en pensée le pré dans _____ paissaient les vaches; les arbres du petit bois _____ le vent agitait: _____ je préférais étaient les grands chênes, sous _____ je m'asseyais, et _____ les feuilles peu à peu tombaient tandis que l'automne approchait. Ce n'est ni la brume ni la pluie _____ m'ont chassé. Car la tristesse paisible _____ la campagne s'enveloppe me plaît aussi. Il fallait partir. Tous _____ me sont chers, tous _____ j'aime la présence ont beau m'attendre à Paris, c'est toujours avec peine que je quitte ce coin de terre sans _____ je ne saurais plus vivre.

Les Négations

ne . . . pas	ne . . . rien
ne . . . plus	ne . . . jamais
ne . . . personne	ne . . . nulle part

• *Personne* et *rien* peuvent aussi être *sujets*. On peut donc trouver les constructions:

personne ... ne
rien ... ne

• NOTEZ que *plus, personne, rien, jamais, nulle part* sont des mots *negatifs*, comme *pas*. Ils remplacent *pas* et ne s'utilisent *jamais* avec lui (*pas* ajouté à un de ces mots produirait une *double négation incorrecte;* voir en anglais, par exemple, "I do not see nobody").

Ordre des mots:

Ne ... pas
ne ... plus
ne ... jamais
ne ... rien

—le verbe est à un temps *simple:* ne + verbe + mot négatif

EXEMPLE:
Elle *ne* chante *pas.*

—le verbe est à un temps *composé:* ne + auxiliaire + mot négatif + participe passé.

EXEMPLE:
Elle *n'*a *pas* chanté.

—le verbe est à l'*infinitif:* ne + mot négatif + infinitif

EXEMPLE:
ne pas chanter

Complétez les phrases suivantes en plaçant la négation où il convient. Puis employez le verbe au passé composé, et à l'infinitif.

EXEMPLE:
elle chante (ne ... pas)
Elle *ne* chante *pas.*
Elle *n'*a *pas* chanté.
ne pas chanter

1. Je veux partir (ne ... plus)
2. Il pleut cet été (ne ... jamais)
3. Nous regrettons (ne ... rien)
4. On entend les bêtes (ne ... plus)

  5. Le vent fait chanter les arbres (ne ... pas)
  6. Il reste à la campagne en hiver (ne ... jamais)
  7. Il s'assoit devant la cheminée (ne ... plus)
  8. Les arbres ont des feuilles (ne ... plus)
  9. Il lit en se promenant au bord du ruisseau (ne ... rien)
  10. La nature endort nos maux (ne ... jamais)

  ne ... personne
  ne ... nulle part

—le verbe est à un temps *simple:* ne + verbe + mot négatif

  EXEMPLE:
  Il *ne* voit *personne.*

—le verbe est à un temps *composé:* ne + temps composé (auxiliaire
+ participe passé) + mot négatif

  EXEMPLE:
  Il *n'*a vu *personne.*

—le verbe est à l'*infinitif:* ne + infinitif + mot négatif

  EXEMPLE:
  ne voir *personne*

■

Complétez les phrases suivantes en utilisant *ne ... personne* ou *ne ...
nulle part.* Puis employez ces négations avec le verbe au passé composé,
puis à l'infinitif.

  1. Je retrouve mes amis (ne ... nulle part)
  2. Il s'ennuie (ne ... nulle part)
  3. La tristesse charme (ne ... personne)
  4. Il est heureux (ne ... nulle part)
  5. Les bêtes tristes regardent (ne ... personne)

Personne et rien après une préposition

  • Lorsque *personne* et *rien* sont employés avec une préposition, ils
suivent toujours cette préposition, quel que soit le temps du verbe.

  EXEMPLES:
  je ne pense à rien
  je ne pense à personne

je n'ai pensé à rien
je n'ai pensé à personne

ne penser à rien
ne penser à personne

Construisez vous-mêmes des phrases avec les éléments suivants; puis, mettez le verbe au passé composé et à l'infinitif:

1. les vaches / songer à / ne ... rien
2. les voisins / parler à / ne ... personne
3. le sage / avoir besoin / ne ... rien
4. la boue des chemins / plaire à / ne ... personne
5. Il / s'intéresser / ne ... rien

Exercices généraux sur les négations

Construisez des phrases au présent avec les négations et les verbes suivants; ajoutez un nom sujet:

1. se moquer de / ne ... personne
2. venir à la campagne / ne ... jamais
3. tomber / ne ... plus
4. entendre / ne ... rien
5. quitter / ne ... personne
6. sécher / ne ... pas
7. se promener avec / ne ... personne
8. servir à / ne ... rien
9. partir / ne ... jamais
10. conduire / ne ... nulle part

Mettez les phrases précédentes au passé composé, puis employez la négation avec l'infinitif du verbe.

Complétez le texte suivant avec les négations entre parenthèses:

J'ai aimé (ne ... jamais) la campagne. Elle est gaie (ne ... pas) en été, et il est possible (ne ... plus) de la supporter en automne. Avec ses chemins boueux qui mènent (ne ... nulle part), ses champs qui finissent (ne ... jamais), ses fermes où on voit (ne ... personne), j'ai pu (ne ...

jamais) y rester plus d'une semaine. Et j'y serais retourné (ne ... jamais)
si des amis avaient insisté (ne ... pas) pour que je les accompagne. J'ai
pu (ne ... pas) leur refuser, mais je me suis beaucoup ennuyé; comme il
pleuvait, on pouvait se promener (ne ... nulle part), on pouvait (ne ...
rien) faire. Je préfère songer (ne ... pas) à ce triste séjour. Evidemment,
j'ai dit (ne ... rien) à mes amis pour ne pas les attrister, mais c'est fini,
j'ai juré que j'irais (ne ... plus jamais). Quitter la ville (ne ... jamais),
voilà mon rêve.

VOCABULAIRE ET STYLE

VOCABULAIRE

Familles de mots

Verbe / nom / adjectif: frémir (verbe) / frémissement (nom) / frémis-
sant (adj.)

Trouvez le nom et l'adjectif correspondant au verbe *retentir*

Nom / adjectif

Dans la liste suivante, formez vous-même les adjectifs ou les noms qui
manquent:

—boue / boueux   —léger / légèreté
   brume / ?   humide / humidité
—joie / joyeux   tranquille / ?
   pluie / pluvieux
   silence / ?   —mélancolique / mélancolie
                           monotone / ?
—doux / douceur
   lent / ?

Adjectif / adverbe

• L'adverbe se forme généralement sur le féminin de l'adjectif auquel
on ajoute *-ment*.

EXEMPLE:

maternel (adj. masc.) *maternelle* (adj. fem.) = *maternellement*

- Pour les adjectifs terminés en -ant, on remplace -ant par-amment

    EXEMPLE:

    élégant = *élégamment*

■

Formez l'adverbe sur les adjectifs suivants:

tranquille	lent
triste	froid
paisible	doux
léger	silencieux

Songer, rêverie, pensée

On trouve ces trois mots dans le texte. Notez les différences de sens, ou de nuances, entre les trois verbes songer, rêver, penser.

penser implique: intelligence, réflexion, raison, raisonnement, logique. C'est une fonction essentiellement *intellectuelle*.

rêver implique: imagination, fantaisie, évocation du passé, de l'avenir, de ce qui n'existe pas, de ce qui est absent, pensée paresseuse ou même illogique.

songer: entre *penser* et *rêver*. Le sens de ce verbe et des mots de son groupe dépend du contexte. Mais *songer* est toujours plus littéraire que *penser* et *rêver*, et s'emploie donc rarement dans la conversation. (En général, *songer* employé *sans complément* se rapproche de rêver = pensée paresseuse, souvent liée à un état affectif mélancolique, nostalgique etc. *Songer à* quelque chose, ou quelqu'un, c'est l'*évoquer* dans sa mémoire, son imagination. *Songer à faire quelque chose* = avoir l'intention, faire le projet)

■

Faites une phrase contenant deux de ces verbes. Mettez en évidence leur différence de sens.

Vocabulaire de la campagne

Vocabulaire des *éléments*:

la boue (la terre): la pluie, la brume (l'eau), le vent (l'air)

■

Ecrivez un paragraphe de description (30 mots environ) dans lequel vous emploierez ces quatre termes.

Relevez dans le texte les termes qui désignent ou suggèrent les *animaux*.

Relevez les termes qui désignent les éléments du *paysage à la campagne* (les bois, les arbres etc.). La plupart de ces termes sont groupés à la fin du texte. En vous inspirant de la dernière phrase écrivez aussi un paragraphe de 30 mots dans lequel vous utiliserez au moins 5 de ces termes.

STYLE

La personnification des éléments de la nature

Dans tout ce passage, l'auteur utilise un vocabulaire qui suggère une personnification de la nature ou des phénomènes naturels.

> **EXEMPLE:**
> «La pluie.... frappe mes vitres à petits coups *comme pour m'appeler*» = l'imagination de l'auteur prête à la pluie une intention, donc une personnalité humaine.

■

Trouvez dans le texte des exemples de personnification:
- a) de l'automne
- b) de la campagne
- c) de la nature en général (dernière phrase du texte. Expliquez l'image contenue dans cette personnification).

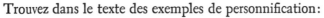

Les rapports entre les sentiments de l'auteur et la nature

Influence de la nature sur les sentiments de l'auteur

> **EXEMPLE:**
> «... la chute de chaque goutte retentit tristement dans mon cœur» = la pluie le rend triste. (Notez que ce rapport simple et banal est exprimé de façon originale: l'auteur imagine le bruit des gouttes de pluie tombant *dans son cœur*; ainsi, il crée une confusion entre un *bruit réel* et *l'effet* de ce bruit sur ses *sentiments*.)

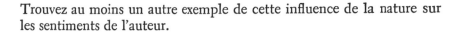

Trouvez au moins un autre exemple de cette influence de la nature sur les sentiments de l'auteur.

Quel rapport voyez-vous entre la phrase «la chute de chaque goutte retentit tristement dans mon cœur» et ces vers de Verlaine:

> Il pleure dans mon cœur
> Comme il pleut sur la ville
> Quelle est cette langueur
> Qui pénètre mon cœur?

> O bruit doux de la pluie
> Par terre et sur les toits!
> Pour un cœur qui s'ennuie
> O le chant de la pluie!

Exprimez l'effet que produit sur vous le vent, ou le brouillard, ou l'atmosphère lourde et humide.

Influence des sentiments de l'auteur sur la nature

Cette influence est imaginée par l'auteur qui projette ses sentiments sur le monde extérieur.

EXEMPLE:
«... et voici qu'une tristesse paisible est venue de l'occident avec la pluie et la brume». L'auteur met sur le même plan des phénomènes atmosphériques (pluie, brume) et un sentiment (tristesse) qu'il éprouve. Bien entendu, la tristesse n'est pas un élément de la nature, c'est l'auteur qui projette sa propre tristesse sur le monde extérieur.

Trouvez au moins un autre exemple de cette influence des sentiments de l'auteur sur la nature (analysez la phrase sur le silence, lignes 11–14).

L'atmosphère

Ce texte est, dans les termes de l'auteur lui-même, une «rêverie mélancolique». Une *rêverie* peut être triste, mais elle n'est jamais pénible, désagréable. De même, la *mélancolie* est en général une tristesse *vague,* sans raisons *graves*. On peut même y prendre un certain *plaisir*. Donc, l'atmosphère du texte va refléter ces nuances affectives. Elle ne suggère rien de vraiment pénible; au contraire, elle évoque le *calme* et la *douceur* dans la tristesse.

> **EXEMPLE:**
> Les termes qui décrivent la pluie dans la première phrase: *tranquille*, à *petits* coups, *lentement*, bruit *léger*.

■

Donnez d'autres exemples de vocabulaire créant une atmosphère de douceur et de calme dans la tristesse.

Trouvez dans le texte un passage où le calme et la douceur ne sont pas liés à la tristesse, mais à la paix et au réconfort. Dites avec précision ce qui exprime ce réconfort.

Sur le modèle du texte (douceur et tristesse, puis douceur et plaisir) évoquez rapidement un paysage avec deux atmosphères différentes: le mouvement qui évoque le désordre, les catastrophes, puis le mouvement qui évoque la gaieté.

Le Rythme: longueur des phrases et allitérations

Longueur des phrases

Le texte se compose de phrases *longues* (de trente à quarante mots environ) ou *très longues* (la dernière phrase: cent un mots), entrecoupées de *phrases courtes* (une douzaine de mots) ou *très courtes* (trois mots).

■

Quelle différence y a-t-il entre le contenu des phrases longues et celui des phrases courtes? Quel effet l'opposition produit-elle?

> **EXEMPLE:**
> «il faut partir»: cette phrase exprime une notion simple, la constatation d'un fait précis et inévitable. Elle s'oppose à la longue phrase précédente en introduisant brutalement la *cause* de la mélancolie de l'auteur (il doit quitter la campagne).

De la même façon, essayez de préciser la valeur des autres phrases courtes du texte.

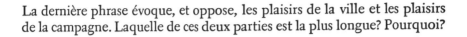

La dernière phrase évoque, et oppose, les plaisirs de la ville et les plaisirs de la campagne. Laquelle de ces deux parties est la plus longue? Pourquoi?

L'allitération

• L'allitération est la répétition des mêmes lettres ou syllabes à l'intérieur d'une phrase. Elle peut avoir une valeur *imitative* (suggérer un certain *bruit*; créer une certaine *impression*: douceur, violence, harmonie, discordance etc.) ou une valeur simplement *musicale* et *rythmique* créée par la répétition.

• L'allitération est un procédé plus particulièrement poétique, mais il peut être utilisé aussi en prose, et surtout en prose poétique (c'est-à-dire dans un passage de prose où l'auteur se rapproche de la poésie, par l'atmosphère, les images, le rythme, la musicalité de la phrase: c'est le cas du texte d'Anatole France).

EXEMPLES:

Allitérations dans la première phrase: les consonnes *p* et *t*: «La pluie froide et tranquille, qui *t*ombe lentement du ciel gris, fra*pp*e mes vi*t*res à *p*e*t*its coups comme *p*our m'a*pp*eler; elle ne fait qu'un bruit léger et pourtant la chute de chaque gou*tt*e re*t*entit *t*ristement dans mon cœur».

Cette répétition des *p* et des *t* évoque le bruit léger et répété des gouttes de pluie qui frappent la vitre (cf. en anglais l'effet des *p* et des *t* dans le mot *«pitter patter»*, qui évoque ce genre de bruit).

Notons dans cette phrase *une autre allitération*: la répétition des l, consonne *liquide et douce*, qui s'oppose à la dureté et à la sécheresse des *p* et *t* (tranqui*ll*e, *l*entement, cie*l*, appe*l*er, e*ll*e, *l*éger). Remarquons enfin que les *l* disparaissent à partir de «et pourtant», c'est-à-dire dans la partie de la phrase où l'auteur exprime sa tristesse.

En résumé, l'allitération dans cette première phrase correspond exactement à l'atmosphère («rêverie mélancolique», douceur + tristesse) que nous avons étudiée. En fait, l'allitération aide à créer cette atmosphère.

Cherchez les allitérations dans les phrases «L'automne secoue ... avec la pluie et la brume». Quels sons sont répétés le plus souvent (note:

deux lettres, deux syllabes *différentes* peuvent se prononcer de la même façon; dans ce cas, elles font allitération)? Y-a-t-il plusieurs allitération différentes (répétition de lettres différentes)? Essayez de préciser ce qu'elles expriment.

Les cinq derniers membres de phrase du texte contiennent tous des allitérations. Ces cinq membres sont:

1) le petit bois qui chantait au moindre vent
2) le grand chêne dans le pré où paissaient les vaches
3) les saules creux au bord d'un ruisseau
4) le chemin dans les vignes au bout duquel se levait la lune
5) je regrette ce maternel manteau de feuillage et de ciel

Relevez les allitérations dans chaque membre de phrase.

EXEMPLE:
1) pe*t*it ch*an t* ait *vent* (*t* et le son *en* / *an*)

Essayez de préciser l'effet produit par ces allitérations. Selon vous, lesquelles sont «imitatives», lesquelles sont simplement «rythmiques»?

TEXTE COMPLEMENTAIRE

Pouah![1] La Nature! Pouah! Pouah! Heureusement que l'homme n'est pas naturel. Quelle vie d'immondice devrait-on[2] mener si l'on était naturel!...

Je ne suis pas fait pour cette vie-là. Heureusement, heureusement que l'on a recouvert les rues de pavés et d'asphalte et que l'on y[3] pousse la pureté anti-naturelle jusqu'à pourchasser les mauvaises herbes qui tentent de surgir entre les interstices des carrelages.[4]..

Bientôt ces champs, ces prés, ces bois, je ne les verrai plus, et pour le moment je ne sais lesquels d'entre eux m'ennuient le plus.

Raymond Queneau, *Saint Glinglin*

[1] *Pouah!*: interjection familière qui exprime le dégoût.
[2] *devrait-on*: inversion exigée par la tournure exclamative.
[3] *y*: dans les rues
[4] *carrelages*: sens habituel: "tiling" (pour le sol d'une cuisine, d'une salle de bains etc.). *ici*: "pavement" (dans la rue)

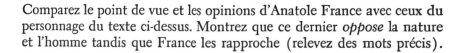

Comparez le point de vue et les opinions d'Anatole France avec ceux du personnage du texte ci-dessus. Montrez que ce dernier *oppose* la nature et l'homme tandis que France les rapproche (relevez des mots précis).

REDACTION

Comme Anatole France lorsque l'automne arrive, êtes-vous sensible au passage des saisons? Décrivez vos sentiments au moment du passage d'une saison à une autre. Y a-t-il des rapports entre vos états d'âme et la nature? Quels sont-ils?

À ce moment, ses mains ont
eu un geste d'agacement,...

Albert Camus

L'Etranger

Ce passage se situe dans le dernier chapitre du roman, après la condam-
nation à mort de Meursault (voir l'introduction à l'autre extrait de
L'Etranger, p. 29). Meursault, qui ne croit pas en Dieu, a refusé jusqu'à présent de recevoir l'aumônier de la prison.

C'EST à ce moment précis que l'aumônier est entré. Quand je
l'ai vu, j'ai eu un petit tremblement. Il s'en est aperçu et m'a dit
de ne pas avoir peur. Je lui ai dit qu'il venait d'habitude à un
autre moment. Il m'a répondu que c'était une visite tout amicale
qui n'avait rien à voir avec mon pourvoi [1] dont il ne savait rien.   5
Il s'est assis sur ma couchette et m'a invité à me mettre près de
lui. J'ai refusé. Je lui trouvais tout de même un air très doux.

---

[1] «mon pourvoi»: *pourvoi en grâce*, appel par lequel un condamné demande que
sa peine soit réduite ou commuée ('commuted'). Le Président de la République
Française a le pouvoir de commuer la peine de mort en prison à vie.

Il est resté un moment assis, les avant-bras sur les genoux, la
tête baissée, à regarder ses mains. Elles étaient fines et musclées,
10   elles me faisaient penser à deux bêtes agiles. Il les a frottées
lentement l'une contre l'autre. Puis il est resté ainsi, la tête toujours baissée, pendant si longtemps que j'ai eu l'impression, un
instant, que je l'avais oublié.

Mais il a relevé brusquement la tête et m'a regardé en face:
15   «Pourquoi, m'a-t-il dit, refusez-vous mes visites?» J'ai répondu
que je ne croyais pas en Dieu. Il a voulu savoir [2] si j'en étais bien
sûr et j'ai dit que je n'avais pas à me le demander: cela me paraissait une question sans importance. Il s'est alors renversé en arrière et s'est adossé au mur, les mains à plat sur les cuisses.
20   Presque sans avoir l'air de me parler, il a observé qu'on se croyait
sûr, quelquefois, et, en réalité, on ne l'était pas. Je ne disais rien.
Il m'a regardé et m'a interrogé: «Qu'en pensez-vous?» J'ai répondu que c'était possible. En tout cas, je n'étais peut-être pas
sûr de ce qui m'intéressait réellement, mais j'étais tout à fait sûr
25   de ce qui ne m'intéressait pas. Et justement, ce dont il me parlait ne m'intéressait pas.

Il a détourné les yeux et, toujours sans changer de position,
m'a demandé si je ne parlais pas ainsi par excès de désespoir. Je
lui ai expliqué que je n'étais pas désespéré. J'avais seulement
30   peur, c'était bien naturel. «Dieu vous aiderait alors, [3] a-t-il remarqué. Tous ceux que j'ai connus dans votre cas se retournaient
vers lui.» J'ai reconnu que c'était leur droit. Cela prouvait aussi
qu'ils en avaient le temps. Quant à moi, je ne voulais pas qu'on
m'aidât et justement le temps me manquait pour m'intéresser à
35   ce qui ne m'intéressait pas.

A ce moment, ses mains ont eu un geste d'agacement, mais il
s'est redressé et a arrangé les plis de sa robe. Quand il a eu fini,
il s'est adressé à moi en m'appelant «mon ami»: s'il me parlait

---

[2] «Il a voulu savoir» = il m'a demandé. (notez la valeur particulière que le passé
composé donne au verbe *vouloir*).

[3] «Dieu vous aiderait alors» sous-entendu: à vaincre votre peur (si vous croyiez en
lui).

ainsi ce n'était pas parce que j'étais condamné à mort; à son avis, nous étions tous condamnés à mort. Mais je l'ai interrompu en lui disant que ce n'était pas la même chose et que, d'ailleurs, ce ne pouvait être, en aucun cas, une consolation. «Certes, a-t-il approuvé. Mais vous mourrez plus tard si vous ne mourez pas aujourd'hui. La même question se posera alors. Comment aborderez-vous cette terrible épreuve?» J'ai répondu que je l'aborderais exactement comme je l'abordais en ce moment.

Il s'est levé à ce mot et m'a regardé droit dans les yeux. C'est un jeu que je connaissais bien. Je m'en amusais souvent avec Emmanuel ou Céleste et, en général, ils détournaient leurs yeux. L'aumônier aussi connaissait bien ce jeu, je l'ai tout de suite compris: son regard ne tremblait pas. Et sa voix non plus n'a pas tremblé quand il m'a dit: «N'avez-vous donc aucun espoir et vivez-vous avec la pensée que vous allez mourir tout entier? —Oui», ai-je répondu.

Alors il a baissé la tête et s'est rassis. Il m'a dit qu'il me plaignait. Il jugeait cela impossible à supporter pour un homme.[4]

L'Etranger, 1942

QUESTIONS

1. Pourquoi Meursault a-t-il eu un petit tremblement quand l'aumônier est entré?
2. Comment expliquez-vous le verbe «répondre»? (l. 4) Meursault avait-il posé une question?
3. Pourquoi l'aumônier veut-il voir Meursault?
4. Qu'est-ce que la locution «tout de même» (l. 7) suggère des sentiments de Meursault envers l'aumônier?
5. Quelle a d'abord été l'attitude de l'aumônier?
6. Pour quelle raison Meursault refusait-il ses visites? Pourquoi n'a-t-il pas refusé cette fois?

---

[4] «Il jugeait cela impossible à supporter»: il pensait que cela (c'est-à-dire, la pensée de mourir tout entier) était impossible à supporter.

7. Le problème de Dieu est-il important pour Meursault? De quoi
   est-il sûr?
8. Comment l'aumônier interprète-t-il ses paroles? Quel sentiment
   lui suppose-t-il? A-t-il raison?
9. Quelle est l'attitude des autres hommes qui se trouvent dans la
   situation de Meursault? Pourquoi?
10. Qu'y a-t-il de commun entre le sort de tous les hommes et celui
    de Meursault?
11. Qu'est-ce, selon vous, que «cette même question» dont parle l'au-
    mônier (l. 44)?
12. En quoi consiste le «jeu» de l'aumônier? Que signifie-t-il? Pour-
    quoi Meursault le connaît-il si bien?
13. Remarquez-vous une progression dans les paroles de l'aumônier
    (ll. 42–45 et ll. 52–53)?
14. Qu'est-ce qu'il juge impossible à supporter pour un homme? Quel
    est alors son sentiment envers Meursault?

GRAMMAIRE

Style direct et style indirect

• Dans un récit qui contient des dialogues, les paroles des personnages peuvent être rapportées *entre guillemets*:

EXEMPLE:

Il m'a regardé en face: «Pourquoi, m'a-t-il dit, refusez-vous
mes visites?»

C'est ce que l'on appelle le *style direct*. Ou bien elles peuvent être exprimées dans une subordonnée (le plus souvent introduite par *que*).

EXEMPLE:

J'ai répondu que je ne croyais pas en Dieu.

C'est ce qu'on appelle le *style indirect*.

• Dans le style direct, on reproduit les paroles du personnage exactement comme il les a prononcées. Quand on passe du style direct au style
indirect, il y a souvent un changement de *personne* et de *temps* (voir plus
loin la concordance des temps).

EXEMPLE:

style direct: Il a répondu: «*Je ne crois* pas en Dieu.»
style indirect: Il a répondu qu'*il ne croyait* pas en Dieu.

• NOTE: La disposition typographique des dialogues en style direct est différente en français et en anglais. Comparez: «Certes, a-t-il approuvé. Mais vous mourrez . . .» et "Of course," he agreed, "but you will die."

- Le français utilise des «. .» et non des ". ."

- En français, on ne referme pas les guillemets après une incise *courte* («Certes, *a-t-il approuvé.* Mais . . .»)

- Les paroles rapportées sont précédées de deux points, et non d'une virgule (Il m'a interrogé: «Qu'en pensez-vous?»)

- Parfois, au lieu des guillemets, le français utilise simplement un tiret (—) pour commencer la phrase.

Style direct

■

Relevez dans le texte toutes les phrases au style direct.

EXEMPLE:
Il m'a regardé et m'a interrogé: «Qu'en pensez-vous?»

Soulignez les verbes qui introduisent ces phrases au style direct.

EXEMPLE:
Il m'a interrogé: «Qu'en pensez-vous?»
Le verbe *interroger* introduit les paroles de l'aumônier

- Remarquez *la place* de ces verbes. Tantôt ils précèdent immédiatement les paroles rapportées, comme dans l'exemple précédent. Tantôt ils sont inclus dans les paroles rapportées. Dans ce cas, *le sujet est inversé.*

EXEMPLES:
Il m'a interrogé: «Qu'en pensez-vous?»
Le verbe précède les paroles rapportées.

«Dieu vous aiderait alors, *a-t-il remarqué.*»
Le sujet et le verbe sont inversés et à l'intérieur des guillemets.

■

Relevez toutes les inversions que vous trouvez dans le texte, à l'intérieur des paroles rapportées.

Pour chaque phrase au style direct, changez la tournure.

EXEMPLES:

il m'a dit: «N'avez-vous donc aucun espoir . . .?»
«N'avez-vous donc aucun espoir, *m'a-t-il dit?*»

«Dieu vous aiderait alors, *a-t-il remarqué.*»
Il a remarqué: «Dieu vous aiderait alors.»

Introduisez chacune des phrases suivantes par: *il a dit; a-t-il dit:*

EXEMPLE:

Je vous fais une visite amicale.

Il a dit: «Jc vous fais une visite amicale.»

«Je vous fais une visite amicale, *a-t-il dit.*»

1. ne tremblez pas
2. vous ne croyez pas en Dieu
3. Dieu vous aiderait
4. nous sommes tous condamnés à mort
5. je ne sais rien de votre pourvoi

Préparez oralement le même exercice avec les verbes *répondre, deman-*
der, remarquer, observer.

Style indirect

TABLEAU DES CHANGEMENTS DE TEMPS

style indirect →	*style direct*
imparfait	présent
conditionnel	futur
plus que parfait	passé simple ou composé
infinitif	impératif

Relevez les phrases au style indirect (commençant par *que*) et soulignez
les verbes qui les introduisent.

Mettez ces phrases au style direct. Remarquez le changement de temps:

EXEMPLES:

J'ai répondu que je ne *croyais* pas en Dieu.
J'ai répondu: «Je ne crois pas en Dieu.» (ou «Je ne crois pas
en Dieu, ai-je répondu.»)

J'ai répondu que j'aborderais la question de la même façon.
J'ai répondu «J'aborderai la question de la même façon.»

Mettez les phrases suivantes au style indirect:

EXEMPLE:
«Vous tremblez, a-t-il observé.»
= Il a observé que je tremblais.

1. «Il faut croire» a-t-il dit.
2. Je lui ai répondu: «C'est possible.»
3. «Ses mains sont comme des bêtes agiles» pensais-je.
4. Il a répété: «C'est une visite amicale.»
5. J'ai expliqué: «Cela ne m'intéresse pas.»
6. Je lui dis (présent): «Je refuse de vous voir.»
7. Je lui ai dit: «Je refuse de vous voir.»
8. Je lui dis (présent): «Je refuserai de vous voir.»
9. Je lui ai dit: «Je refuserai de vous voir.»
10. J'ai répondu: «Je vis et je vivrai toujours sans espoir.»

Interrogation indirecte

• Il y a *interrogation indirecte* lorsqu'un verbe exprimant une *question* introduit une proposition au style indirect. Ce verbe (en général «demander») est suivi de *si*.

EXEMPLES:
interrogation *directe*: Il lui a demandé: «Croyez-vous en Dieu?»

interrogation *indirecte*: Il lui a demandé *s*'il croyait en Dieu.

• NOTE: ne confondez pas avec *si* exprimant la condition. *Si* interrogatif peut être traduit en anglais par *whether*; *si* exprimant la condition ne peut être traduit que par *if*.

Relevez les deux phrases au style indirect commençant par *si*.

Mettez les phrases suivantes au style indirect en les faisant précéder de «Il a demandé»:

1. Mourrez-vous sans espoir?
2. Puis-je vous aider?
3. Etes-vous désespéré?
4. Voulez-vous vous asseoir?
5. Est-ce que vous tremblez?

• Lorsqu'on passe de l'interrogation directe à l'interrogation indirecte, les mots interrogatifs (adverbes: pourquoi, quand, comment etc.; adjectifs: quel ...; pronoms: qui ...) ne changent pas.

EXEMPLES:

Je lui ai demandé: «*Pourquoi* venez-vous?»
Je lui ai demandé *pourquoi* il venait.

Je lui ai demandé: «Pour *quelle* raison venez-vous?»
Je lui ai demandé pour *quelle* raison il venait.

J'ai demandé: «Qui vient?»
J'ai demandé qui venait.

Exception: lorsque le pronom interrogatif (qui, que) se rapporte à une chose et non à une personne, il est précédé de *ce* dans l'interrogation indirecte. (*Ce qui* est sujet du verbe qui suit; *ce que* est complément direct.)

EXEMPLE:

Il m'a demandé: «*Qu'*en pensez-vous?»

Il m'a demandé *ce que* j'en pensais.

Mettez les phrases suivantes au style indirect:

1. Dis-moi: «Que veux-tu?»

2. Je me suis demandé: «Que faut-il que je fasse?»

3. «Qu'est-ce qui est sans importance?» demanda-t-il.

Mettez les phrases suivantes à la forme interrogative indirecte en les faisant précéder de «Il m'a demandé»:

1. Qu'est-ce qui vous intéresse?

2. A quoi vous intéressez-vous?

3. Comment aborderez-vous la question?

4. Que ferez-vous?

5. Qui vous aidera?

6. Qu'est-ce qui nous aidera?

7. Pourquoi avez-vous peur?

8. De quoi avez-vous peur?

9. Qu'est-ce que vous espérez?

10. Qu'arrivera-t-il si votre pourvoi est rejeté?

- NOTE: Constructions des verbes *demander* et *dire*

Quand *demander* est suivi d'une subordonnée affirmative ou néga-tive (et non d'une question), le verbe exprime un ordre ou une requête (request). Cet ordre ou cette requête sont à l'*impératif* au style *direct*, à l'*infinitif* précédé de *de* au style *indirect*. La même construction est utilisée pour *dire*: dire à quelqu'un *de* faire quelque chose.)

EXEMPLES:
Il m'a demandé: «Donnez-moi des nouvelles.»
Il m'a demandé de lui donner des nouvelles.

Il m'a dit: «N'ayez pas peur.»
Il m'a dit de ne pas avoir peur.

Mettez les phrases suivantes au style indirect:
1. Je ne lui ai pas dit: «Asseyez-vous.»
2. «Ne me regardez pas, demanda-t-il.»
3. Il m'a dit: «Ayez de l'espoir.»

Mettez les phrases suivantes au style direct:
1. Il voulait lui dire de partir.
2. Je lui demandé de ne pas m'aider.
3. Nous lui avons dit de s'adresser à vous.

Exercice général

Mettez le texte suivant au style indirect. Pensez à modifier quand il le faut: les pronoms personnels, les pronoms interrogatifs (qui = ce qui, que = ce que), les tournures interrogatives (est-ce que = si), les temps des verbes:

«De quoi suis-je coupable? se demandait Meursault. Mon pourvoi sera-t-il accepté ou refusé? Quelle sera la décision de la justice? L'aumônier le sait-il? Pourquoi cet homme veut-il venir me voir? Accepterai-je sa visite? Que lui dirai-je?»

C'est alors qu'il est entré. «N'ayez pas peur, lui a dit l'aumônier; mais écoutez-moi et songez à votre salut. La justice des hommes vous con-damne, et vous ignorez quel sera le jugement de Dieu. De toute façon, a-t-il ajouté, il vous faudra mourir, tôt ou tard.»—«Je ne crois pas en

Dieu, a répondu Meursault, et je ne sais ce que vous voulez dire; la vie éternelle n'a pas d'importance pour moi; ma mort sera définitive.»

Relatifs: *ce qui, ce que, ce dont.*

• Lorsque l'antécédent est indéterminé, on fait précéder les pronoms relatifs *qui, que, dont* de *ce*. *Ce qui, ce que, ce dont* traduisent le pronom anglais *what* quand il signifie *"that which"*.

EXEMPLES:

J'étais tout à fait sûr de *ce qui* ne m'intéressait pas.

Ce dont il me parlait ne m'intéressait pas.

• *Ce qui* est sujet du verbe qui suit:

EXEMPLES:

L'aumônier comprenait *ce qui* manquait aux hommes.

Meursault refuse *ce qui* blesse ses convictions.

Ce qui intéresse le prêtre n'intéresse pas Meursault.

• *Ce que* est objet du verbe qui suit:

EXEMPLES:

Il savait *ce qu'*il allait dire à Meursault et *ce que* Meursault lui répondrait.

Ce que les autres pensent ne l'aide pas.

• *Ce dont* est objet du verbe qui suit et s'emploie quand ce verbe se construit avec *de*:

EXEMPLES:

Meursault refuse *ce dont* les hommes ont besoin pour mourir. (avoir besoin *de* quelque chose)

Ce dont il s'est aperçu alors, tous le savaient déjà. (s'apercevoir *de* quelque chose)

Il ne comprend pas *ce dont* le prêtre parle. (parler *de* quelque chose)

Complétez les phrases suivantes en employant selon le cas *ce qui, ce que* ou *ce dont* (note: *ce que* devient *ce qu'* devant une voyelle):

1. Il n'écoutait plus _____ le prêtre lui disait.

2. N'oubliez pas _____ il vous a répondu.

3. Il lui rappelle _____ pousse les hommes à croire.

4. L'aumônier évoque _____ chaque homme a peur, _____ chacun redoute.

5. _____ concerne la religion ne l'intéresse pas.

6. Je lui ai dit _____ il voulait savoir.

7. _____ console les croyants ne consolait pas Meursault.

8. Je ne dirai que _____ je suis sûr.

9. _____ il disait ne m'intéressait pas.

10. J'étais indifférent à _____ il parlait.

Employez selon le cas les pronoms relatifs *qui, que, dont,* ou *ce qui, ce que, ce dont*:

Meursault, _____ ne croyait pas en Dieu, ne voulait pas voir l'aumônier de la prison. Il devinait _____ l'aumônier voulait lui parler. Celui-ci, _____ connaissait la faiblesse humaine, savait _____ il fallait dire aux condamnés à mort. Il leur apportait l'aide _____ il avaient besoin. Il savait _____ la religion peut leur donner: le courage de mourir. Mais _____ aidait les autres ne pouvait être utile à Meursault. Dieu, _____ il niait l'existence, ne pouvait l'aider à mourir. Et il ne voulait pas perdre, avec des choses _____ ne l'intéressaient pas, le temps _____ lui restait et _____ il avait besoin pour réfléchir. _____ il affirmait, _____ il était sûr, c'était qu'il lui faudrait aborder cette épreuve seul. Alors, _____ disait l'aumônier n'avait pas d'importance.

VOCABULAIRE ET STYLE

VOCABULAIRE

Gestes, attitudes

avoir un tremblement
s'asseoir; se rasseoir
se mettre près de
rester assis
la tête baissée (baisser la tête)
regarder ses mains
frotter ses mains l'une contre l'autre
relever la tête
regarder en face
se renverser en arrière

s'adosser au mur
(avoir) les mains à plat
détourner les yeux
changer de position
avoir un geste d'agacement
se redresser
se lever
regarder (quelqu'un) droit dans les yeux
détourner les yeux

◼

Classez les expressions de la liste ci-dessus selon qu'elles suggèrent:

    —l'attitude générale du corps
    —des mouvements particuliers (mains, tête . . .)
    —des regards

Expliquez les différences de sens entre:

    —s'asseoir; se rasseoir; rester assis
    —se lever; se redresser
    —s'appuyer sur; s'adosser à

Opérations intellectuelles

savoir	prouver
refuser	connaître
croire (en)	comprendre
être sûr de	reconnaître
se demander si	remarquer
se croire sûr	observer
s'intéresser à	

◼

Complétez les phrases du texte suivant en utilisant les dix premiers verbes de la liste ci-dessus (chaque verbe ne doit être utilisé qu'une fois):

Peut-on _____ l'existence de Dieu? Ceux qui _____ en Dieu n'ont pas besoin de preuves, ils _____ de son existence. Ceux qui _____ de croire ne _____ aux preuves des croyants. Ils _____ d'être indifférents à la question et ils ne _____ si l'existence de Dieu est possible, car ils ne _____ qu'on puisse _____ Dieu et pensent que l'homme ne peut pas _____ la vérité sur cette question.

Les trois derniers verbes de la liste (reconnaître, remarquer, observer) ont, dans le passage, un sens intellectuel (admettre, faire une remarque, faire une observation). Ces verbes peuvent aussi exprimer une perception (reconnaître quelqu'un, remarquer un fait, observer une personne). Dans les phrases suivantes, précisez dans chaque cas la valeur des trois verbes:

    1. J'ai d'abord remarqué le mouvement de ses mains, et je l'ai observé tout le temps.

    2. Il a remarqué qu'il faudrait aborder le problème tôt ou tard; j'ai reconnu qu'il avait raison.

3. Je l'ai reconnu tout de suite. «Vous n'avez pas changé», ai-je observé.

STYLE

Dans ce passage, le narrateur décrit l'apparence et les gestes de l'aumônier, et rapporte ses paroles, mais sans les commenter ni les interpréter; il ne nous dit pas ce que pense ou ressent l'aumônier. Meursault parle de lui-même de la même façon extérieure, sans décrire ses sentiments. Par contre, les *gestes*, les *attitudes* et les *regards* des deux personnages (particulièrement de l'aumônier) sont décrits de façon très détaillée. Ce sont eux, autant que les dialogues, qui nous aident à comprendre la position, les intentions et les sentiments des deux hommes.

Le passage décrit les efforts du prêtre pour amener Meursault à Dieu et la réaction négative de Meursault qui refuse le dialogue. Etudiez la «technique» du prêtre (l'*art de persuader*) à travers ses attitudes, ses gestes, ses regards, ses paroles, et le *refus* systématique de Meursault.

L'art de persuader

Les regards

Relevez les passages où l'aumônier regarde Meursault. Notez que ces regards accompagnent des questions. De quel genre de questions s'agit-il? Quel est le rapport entre regards et questions? Pourquoi le prêtre regarde-t-il Meursault en posant ces questions et pourquoi Meursault note-t-il ces regards?

Pourquoi Meursault considère-t-il le regard du prêtre comme un *jeu* (paragraphe 6)? Pense-t-il vraiment que le prêtre *«joue»* («l'aumônier aussi connaissait bien ce jeu...»)? Y a-t-il un point commun entre ce regard soutenu de l'aumônier et le «jeu» auquel pense Meursault (deux personnes jouent à se regarder fixement jusqu'à ce que l'une baisse les yeux)? Que peut-on conclure de cette remarque de Meursault quant à son opinion sur le prêtre?

Notez à quels moments le prêtre *ne regarde pas* Meursault (il baisse la tête, détourne les yeux...). A quelles étapes de la conversation ces moments se placent-ils? Montrez que dans chaque cas, le prêtre baisse la tête pour la même raison. Laquelle?

Tous les regards de l'aumônier sont notés par le narrateur, mais le passage ne mentionne jamais les regards de Meursault lui-même. Quel est le sens de cette omission et la valeur du contraste?

Les gestes et les attitudes

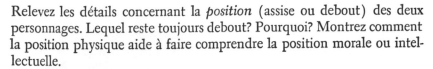

Relevez les détails concernant la *position* (assise ou debout) des deux personnages. Lequel reste toujours debout? Pourquoi? Montrez comment la position physique aide à faire comprendre la position morale ou intellectuelle.

Relevez les attitudes de l'aumônier qui expriment la *méditation,* le *recueillement.* A votre avis, pourquoi le narrateur se contente-t-il de décrire ces attitudes extérieurement, sans nous dire que le prêtre médite, se recueille ou prie? Quel est l'effet produit?

Notez les passages qui décrivent les *mains* de l'aumônier. Montrez dans chaque cas ce que le mouvement de ces mains *exprime* ou *trahit.* Quelle impression produit l'intérêt particulier du narrateur pour les mains du prêtre?

Le dialogue

Montrez que l'aumônier *conduit* le dialogue.

Relevez ses *arguments* successifs.

Etudiez la *progression* dans ses propos et ses questions.

Montrez qu'il fait appel à la fois à la *logique* et aux *émotions* chez Meursault.

L'art du refus et l'échec de la persuasion

Relevez tous les détails qui indiquent que Meursault *refuse* de dialoguer avec le prêtre (par son attitude, ses paroles, ses négations, ses silences).

Montrez comment le prêtre réagit à l'attitude de Meursault (dans ses gestes, ses arguments etc.)

TEXTE COMPLEMENTAIRE

Julien Sorel, le héros du roman de Stendhal *Le Rouge et le Noir,* est en prison où il attend d'être exécuté pour avoir tenté d'assassiner son ancienne maîtresse, Mme de Rénal. Un prêtre demande à le voir. Julien refuse d'abord, mais le prêtre insiste et reste à la porte de la prison sous la pluie à faire des prières. Julien, pour éviter le scandale, accepte enfin de le recevoir.

—Faites entrer ce saint prêtre, dit-il enfin au porte-clefs,[1] et la sueur coulait à grands flots sur son front. Le porte-clefs fit le signe de la croix et sortit tout joyeux.

Ce saint prêtre se trouva horriblement laid,[2] il était encore plus crotté.[3] La pluie froide qu'il faisait augmentait l'obscurité et l'humidité du cachot. Le prêtre voulut embrasser Julien et se mit à s'attendrir en lui parlant. La plus basse hypocrisie était trop évidente;[4] de sa vie Julien n'avait été aussi en colère.

Un quart d'heure après l'entrée du prêtre, Julien se trouva tout à fait un lâche. Pour la première fois, la mort lui parut horrible. Il pensait à l'état de putréfaction où serait son corps deux jours après l'exécution, etc., etc.

Il allait se trahir par quelque signe de faiblesse ou se jeter sur le prêtre et l'étrangler avec sa chaîne, lorsqu'il eut l'idée de prier le saint homme d'aller dire pour lui une bonne messe de quarante francs, ce jour-là même.

Or, il était près de midi, le prêtre décampa.

Stendhal, *Le Rouge et le Noir*

Comparez l'attitude de Julien dans ce passage avec celle de Meursault dans *L'Etranger.*

[1] *porte-clefs:* gardien de prison
[2] *se trouva horriblement laid:* se trouva être horriblement laid (happened to be, turned out to be . . .)
[3] *crotté:* couvert de boue
[4] *la plus basse hypocrisie . . .:* Stendhal a déjà établi l'hypocrisie de ce prêtre dans le passage qui précède celui-ci. «. . . un certain prêtre intrigant et qui pourtant n'avait pu se pousser parmi les jésuites de Besançon . . .»; «. . . cet homme prétendait jouer le martyr»; «. . . cet homme s'était mis en tête de confesser Julien et de se faire un nom parmi les jeunes femmes de Besançon, par toutes les confidences qu'il prétendrait en avoir reçues». L'hypocrisie, et en particulier celle des prêtres, est un des thèmes principaux du roman.

Comparez les deux prêtres: ressemblances et différences. L'hostilité de Julien envers le prêtre a-t-elle les mêmes motifs que celle de Meursault?

REDACTION

Racontez la même scène du point de vue de l'aumônier (à la première personne; c'est l'aumônier qui parle). Utilisez tous les éléments donnés par le texte (comportement, attitudes, gestes, paroles des deux hommes). Si vous ajoutez des détails de votre invention (gestes, paroles, sentiments, exprimés ou non, du prêtre), veillez à ce qu'ils ne contredisent pas ce qui est exprimé ou impliqué dans le passage.

...Il nous a donné tout ce qu'il nous faut;

Nous le remercions sans cesse.

Voltaire

Candide

Dans *Candide ou l'Optimisme* (1759) Voltaire répond aux philosophies optimistes de son temps par un conte ironique. Le philosophe Pangloss a élevé le jeune Candide en lui répétant que «tout est au mieux... dans le meilleur des mondes possibles.» Mais lorsque Candide quitte son château natal et la Westphalie d'où il n'était jamais sorti, il ne rencontre que catastrophes, guerres, massacres, injustice sociale, intolérance religieuse etc. Cependant, au cours de ses nombreuses aventures à travers le monde, Candide arrive un jour dans le pays mythique d'Eldorado, «inconnu à tout le reste de la terre», où tout le monde est riche et heureux. Candide et Cacambo, son valet, sont très bien reçus dans une auberge, et l'aubergiste les conduit à un vieillard «qui est le plus savant homme du royaume». Cacambo, qui comprend la langue du pays, sert d'interprète à Candide.

LA conversation fut longue; elle roula sur la forme du gouvernement, sur les mœurs, sur les femmes, sur les spectacles publics, sur les arts. Enfin Candide, qui avait toujours du goût pour la

métaphysique, fit demander par Cacambo si dans le pays il y
avait une religion.

Le vieillard rougit un peu. «Comment donc! dit-il, en pouvez-vous douter?¹ Est-ce que vous nous prenez pour des ingrats?»
Cacambo demanda humblement quelle était la religion d'Eldorado. Le vieillard rougit encore: «Est-ce qu'il peut y avoir deux
religions? dit-il. Nous avons, je crois, la religion de tout le
monde; nous adorons Dieu du soir jusqu'au matin.—N'adorez-vous qu'un seul Dieu? dit Cacambo, qui servait toujours d'interprète aux doutes de Candide.—Apparemment, dit le vieillard,
qu'il n'y en a² ni deux, ni trois, ni quatre. Je vous avoue que les
gens de votre monde font des questions³ bien singulières.»
Candide ne se lassait pas de faire interroger ce bon vieillard; il
voulut savoir comment on priait Dieu dans Eldorado. «Nous ne
le prions point, dit le bon et respectable sage; nous n'avons rien
à lui demander, il nous a donné tout ce qu'il nous faut; nous le
remercions sans cesse.» Candide eut la curiosité de voir des prêtres; il fit demander où ils étaient. Le bon vieillard sourit. «Mes
amis, dit-il, nous sommes tous prêtres; le roi et tous les chefs de
famille chantent des cantiques d'actions de grâces solennellement tous les matins, et cinq ou six mille musiciens les accompagnent.—Quoi! vous n'avez point de moines qui enseignent, qui
disputent, qui gouvernent, qui cabalent, et qui font brûler les
gens qui ne sont pas de leur avis?—Il faudrait que nous fussions
fous, dit le vieillard; nous sommes tous ici du même avis, et nous
n'entendons⁴ pas ce que vous voulez dire avec vos moines.»
Candide à tous ces discours demeurait en extase, et disait en lui-même: «Ceci est bien différent de la Westphalie et du château
de M. le baron: si notre ami Pangloss avait vu Eldorado, il n'aurait plus dit que le château de Thunder-ten-tronckh était ce qu'il
y avait de mieux sur la terre; et il est certain qu'il faut voyager.»

Candide, 1759

¹ *en pouvez-vous douter:* ordre des mots archaïque pour «pouvez-vous en douter».
² *apparemment que:* archaïque, il est évident que.
³ *font des questions:* posent des questions
⁴ *nous n'entendons pas:* nous ne comprenons pas

GRAMMAIRE

L'interrogation directe

• Pour poser une question, on peut utiliser soit l'expression *est-ce que*, soit l'inversion du sujet et du verbe.

Est-ce que se place en tête de la phrase et est suivi du sujet et du verbe sans inversion.

> **EXEMPLE:**
> «Est-ce que vous nous prenez pour des ingrats?»

■

Relevez dans le texte les phrases interrogatives avec *est-ce que*.

Mettez les phrases suivantes à la forme interrogative avec *est-ce que*.
1. Le vieillard rougit.
2. Dieu leur a donné tout ce qu'il leur faut.
3. Ils ont la religion de tout le monde.
4. Vous l'adorez.
5. Les moines ne gouvernent pas.

Inversion

• le sujet est un *pronom*: verbe + sujet
  EXEMPLE:
  «N'adorez-vous qu'un seul Dieu?»

• le sujet est un nom: nom + verbe + pronom
  EXEMPLE:
  Les habitants d'Eldorado n'adorent-ils qu'un seul Dieu?

■

Relevez dans le texte les phrases interrogatives avec inversion.

Mettez les phrases suivantes à la forme interrogative en employant l'inversion. Faites attention à la différence de construction selon que le sujet est un nom ou un pronom.

1. Ils sont tous prêtres.

2. Les chefs de famille sont tous prêtres.

3. Vous n'avez rien à lui demander.

4. Les gens heureux le remercient.

5. Il nous a donné tout ce qu'il nous faut.

6. Dieu nous a donné tout ce qu'il nous faut.

7. Pangloss aurait été bien étonné.

8. Le vieillard a rougi.

9. Vous faites brûler les gens qui ne sont pas de votre avis.

10. Il y a une religion dans le pays.

• NOTE: Ne confondez pas cette inversion exprimant l'interrogation avec l'inversion verbe / sujet dans les propositions *incises* placées à la fin ou à l'intérieur d'une phrase de dialogue (*dit-il, s'écria-t-elle, ai-je demandé* etc.)

EXEMPLES:

«Comment donc! *dit-il*, en pouvez-vous douter?»

«Apparemment, *dit le vieillard*, qu'il n'y en a ni deux, ni trois, ni quatre.»

• Dans ce cas, l'inversion n'exprime pas une question. Notez que si le sujet est un nom, il se place après le verbe, contrairement à la règle de l'inversion interrogative.

• Cette inversion, qui n'existe en anglais qu'en style très litteraire ou poétique, est *toujours obligatoire* en français écrit.[1]

Mots interrogatifs et inversion

• Lorsque la phrase est introduite par un *adverbe* interrogatif (comment, pourquoi, où? etc.), on emploie généralement l'inversion en style écrit. La tournure *est-ce que* appartient plutôt au style parlé.

EXEMPLE:

Pourquoi remerciez-vous Dieu? (inversion)

Pourquoi est-ce que vous remerciez Dieu? (plus familier)

■

Formez des interrogations avec les phrases suivantes:

---

[1] au sujet de ces propositions incises, voir aussi Chapitre V, A. Camus, *L'Etranger*, Grammaire, Style direct, p. 67.

EXEMPLES:

Les habitants d'Eldorado remercient Dieu (pourquoi?) = Pourquoi les habitants d'Eldorado remercient-ils Dieu?

Vous remerciez Dieu (pourquoi?) = Pourquoi remerciez-vous Dieu?

1. Cacambo posa beaucoup de questions (pourquoi?)
2. Ils ont rencontré un vieillard (où?)
3. Candide parla des moines (comment?)
4. Le roi et les chefs de famille chantèrent des cantiques (quand?)
5. Candide pense à Pangloss (pourquoi?)

• Lorsque la phrase est introduite par l'*adjectif* interrogatif *quel?* ou par un *pronom* interrogatif (*qui, que*) on applique la même règle:

EXEMPLES:

quelle religion ont-ils?
quelle religion les gens d'Eldorado ont-ils?
quelle religion est-ce qu'ils ont?

que veulent-ils savoir?
qu'est-ce qu'ils veulent savoir?

qui ont-ils interrogé?
qui est-ce qu'ils ont interrogé?

• EXCEPTIONS IMPORTANTES •

qui et *que sujets*

Dans les exemples ci-dessus, qui et que étaient compléments d'objet direct du verbe. Mais qui et que peuvent aussi être sujets dans une question (qui se rapporte à une personne, que à une chose).

—*qui* sujet: *pas d'inversion*

EXEMPLE:
qui vient? qui parle?

Si on utilise *est-ce que, que* devient *qui*

EXEMPLES:
qui est-ce qui vient?

qui est-ce qui parle?

—*que* sujet: la construction avec *est-ce que* (qui devient *est-ce qui*) est *la seule possible*

EXEMPLES:

qu'est-ce qui plaît à Candide?

qu'est-ce qui étonne les visiteurs?

que objet quand le sujet est un nom: *la construction sujet + verbe + pronom est impossible*

EXEMPLES:

que demande Candide?

que répond le vieillard?

Mais on peut utiliser *est-ce que*

qu'est-ce que Candide demande?

qu'est-ce que le vieillard répond?

Exercices généraux sur l'interrogation directe

Posez les questions dont les phrases suivantes sont les réponses. Remplacez les mots en italiques par le pronom interrogatif qui convient et faites tous les changements nécessaires. Utilisez deux formes quand c'est possible.

EXEMPLE:

vous voulez savoir *quelque chose* = que voulez-vous savoir?
qu'est-ce que vous voulez savoir?

1. Candide recherche *Cunégonde.*
2. Il ne regrette pas *le château de Thunder-ten-tronckh.*
3. Il souhaiterait voir *Pangloss.*
4. *Cette question* est bien singulière.
5. *Les moines* enseignent. (mettez le verbe au singulier dans la question)
6. La conversation roula sur *les mœurs.*
7. *L'Eldorado* est bien différent de la Westphalie.
8. *Les chefs de famille* chantent des cantiques (verbe au singulier dans la question).
9. Les moines gouvernent *le pays.*
10. Candide eut la curiosité de voir *des prêtres.*

Posez au moins une question sur chaque phrase du texte suivant:

Candide avait perdu Pangloss au Portugal. De là, il s'était enfui avec

Cunégonde, la vieille et Cacambo. Après avoir traversé l'océan, ils arrivèrent au Brésil. Là, le gouverneur tomba amoureux de Cunégonde. Candide dut s'enfuir encore. Toujours accompagné de Cacambo, il alla au Paraguay, chez les jésuites. Candide fut bien surpris lorsqu'il rencontra le commandant des jésuites: c'était le frère de Cunégonde, que tout le monde croyait mort. Lorsque Candide lui annonça son désir d'épouser Cunégonde, il refusa, car il était baron, allemand et sot. C'est pourquoi Candide le tua aussitôt.

Posez vous-même des questions sur le texte de Voltaire et répondez-y.

L'interrogation indirecte

- Dans l'interrogation indirecte, la question est introduite par un verbe de demande.

    EXEMPLE:
    (Candide) «fit demander par Cacambo si dans le pays il y avait une religion.»

- *Si* (= whether) dans l'interrogation indirecte correspond à *est-ce que* ou à *l'inversion* dans le style direct. Au style direct, la phrase ci-dessus devient:

    Candide fit demander par Cacambo: Est-ce qu'il y a une religion dans le pays?»

ou

    «Y a-t-il une religion dans le pays?»

- Après les adverbes, pronoms et adjectifs interrogatifs, l'ordre des mots normal (sujet / verbe) est rétabli.

- Le pronom interrogatif *que* et les constructions interrogatives *qu'est-ce qui* (sujet neutre) et *qu'est-ce que* (objet neutre) sont remplacés par *ce qui* et *ce que*

    EXEMPLES:
    (style direct) Il a demandé: «*Qu'est-ce que* les gens d'Eldorado font pour remercier Dieu?» ou «Que font les gens d'Eldorado...»
    (style indirect) Il a demandé *ce que* les gens d'Eldorado faisaient pour remercier Dieu.

(style direct) Il a demandé: «*qu'est-ce qui* arrive quand les gens ne sont pas de l'avis des prêtres?» ou «qu'arrive-t-il quand les gens …»

(style indirect) Il a demande *ce qui* arrivait quand les gens n'étaient pas de l'avis des prêtres.»

• NOTE: lorsque le verbe de demande est à un temps passé le verbe de l'interrogation indirecte est à l'*imparfait* (ou au *plus que parfait* s'il décrit une action ou un état antérieurs).

EXEMPLES:

Candide *fit demander* s'il y *avait* une religion.

Il *a demandé* ce que les gens *faisaient* pour remercier Dieu.

Le vieillard *a dit* que Dieu leur *avait donné* tout ce qu'ils désiraient.

Relevez les propositions interrogatives indirectes du texte. Mettez-les au style direct (pensez aux changements de temps).

Mettez les phrases interrogatives suivantes au style indirect. Faites tous les changements nécessaires:

Le vieillard demanda:

1. «Où avez-vous perdu Cunégonde?»
2. «Avez-vous déjà recontré le roi?»
3. «Pourquoi ces moines font-ils brûler les gens?»
4. «Ces étrangers sont-ils arrivés hier?»
5. «Dans quelle province d'Allemagne se trouve le château du baron?»

Candide demanda:

6. «N'adorez-vous qu'un seul Dieu?»
7. «Que font les prêtres ici?»
8. «Comment les gens de ce pays remercient-ils Dieu?»
9. «Avez-vous des moines qui font brûler les gens?»
10. «Que se passe-t-il quand vous n'êtes pas tous du même avis?»

Mettez le passage suivant au style indirect:

«Qui êtes-vous, d'où venez-vous et quand êtes-vous arrivés?» leur demanda le vieillard. Candide répondit: «Je suis un jeune philosophe venant de Westphalie, Cacambo est mon valet, et nous sommes arrivés aujourd'hui même dans le pays d'Eldorado.» Il demanda à son tour: «Pourquoi ce pays s'appelle-t-il ainsi? Depuis quand existe-t-il? Quel est le gouvernement? Y a-t-il beaucoup de prêtres? Les moines font-ils des révolutions? Le roi a-t-il fait beaucoup de guerres? Respecte-t-il la liberté de ses sujets? Quel Dieu honore-t-il? Que lui demande-t-on? Le peuple est-il heureux?» Candide voulait tout savoir. Et le vieillard répondit fort aimablement à ses questions.

Faire et l'infinitif

- Faire est toujours suivi de l'infinitif (jamais du participe passé).

  EXEMPLES:

  Candide fait parler le vieillard (sens actif)

  Le roi a fait bâtir des palais (sens passif)

Les différentes constructions de faire + infinitif.

—un objet direct

  EXEMPLE:

  Candide fait parler *le vieillard.*

—un objet indirect (personne) et un objet direct (chose)

  EXEMPLE:

  Le vieillard fait admirer *les beautés* de son pays *aux visiteurs.*

■

Relevez les constructions avec *faire* suivi de l'infinitif dans le texte. Notez la construction: y a-t-il un complément ou plusieurs? est-ce un objet direct ou indirect?

- **NOTE:** l'emploi de *à* pour introduire le complément d'objet indirect peut être ambigue.

  EXEMPLE:

  Candide fit raconter l'histoire du pays au vieillard.

Cette phrase a deux sens (*Candide had the old man tell the story of the country* or *Candide had the story of the country told to the old man*). Pour éviter cette ambiguïte et indiquer le premier de ces deux sens, on remplace *à* par *par:*

  EXEMPLE:

  Candide fit raconter l'histoire du pays par le vieillard.

• Si la personne est représentée par un pronom, on emploie le pronom personnel complément d'objet indirect.

EXEMPLES:

Le vieillard *leur* fit admirer les beautés de son pays.
Il *lui* fit raconter l'histoire du pays.

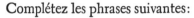

Complétez les phrases suivantes:

EXEMPLE:

Le vieillard fit admirer les beautés de son pays (les visiteurs)
= Le vieillard fit admirer les beautés de son pays aux visiteurs.

1. Dans le pays d'Eldorado, les aubergistes ne font pas payer leur repas (leurs clients).
2. Le roi fit dire des prières (tous les habitants) pour remercier Dieu.
3. Dans les écoles d'Eldorado, le maître fait apprendre les sciences (les enfants).
4. Le vieillard a fait comprendre les mœurs du pays d'Eldorado (les étrangers).
5. Il a fait faire le tour de la ville (les visiteurs).

Remplacez les compléments d'objet directs et indirects de l'exercice précédent par des pronoms personnels.

EXEMPLE:

il fit admirer *les beautés de son pays aux visiteurs*
= il *les leur* fit admirer

Exercices généraux

Modifiez les phrases en italiques selon le modèle suivant:

EXEMPLE:

Candide a visité le pays d'Eldorado
= On a fait visiter à Candide le pays d'Eldorado

Candide a subi bien des malheurs. D'abord, *il a bu* et *il est devenu* soldat; *il a fait l'exercice* et on l'a tant battu qu'*il est presque mort*. Au Portugal, *tous les hérétiques étaient brûlés*. Mais Candide a pu s'enfuir. Miraculeusement, *il est sorti* de Lisbonne. *Il a rencontré* Cunégonde et *il a raconté* ses aventures. *Il avait cru* autrefois que tout était pour le mieux, mais il jura *qu'il ne le croirait plus.* Surtout lorsqu'il eut perdu de nouveau Cunégonde; il fut inconsolable et *ne put l'oublier.*

Evoquez vous-même en quelques lignes l'entrevue de Candide et Cacambo avec le roi d'Eldorado. Employez au moins quatre fois *faire* suivi de l'infinitif.

> **EXEMPLE:**
> Candide a fait rire le roi en lui demandant s'il faisait souvent la guerre.

VOCABULAIRE ET STYLE

Expressions idiomatiques

ROULER SUR: «La conversation...*roula sur* la forme du gouvernement...»: le sujet de la conversation fut la forme du gouvernement. L'expression *rouler sur* s'emploie uniquement pour une conversation. Si l'on parle d'un livre, par exemple, on emploie *traiter de,* ou *il s'agit de:*

Ce livre *traite de* la forme du gouvernement.
Dans ce livre, *il s'agit de* la forme du gouvernement.

■

Faites une phrase avec chacune des expression *rouler sur, traiter de, s'agir de* (Attention: *s'agir de* ne peut s'employer que dans l'expression impersonnelle *il s'agit* de).

> **EXEMPLES:**
> FALLOIR: «Il faut voyager»: on doit voyager, il est nécessaire de voyager
> FALLOIR: «Il nous a donné tout ce qu'*il nous faut.*»

• «IL FAUT» employé avec un pronom objet indirect (me, te, lui, nous, vous, leur) signifie *avoir besoin de* (*il me faut* un livre = j'ai besoin d'un livre; tout ce qu'*il nous faut* = tout ce dont nous avons besoin).

■

Remplacez *avoir besoin* par *falloir* dans les phrases suivantes:

1. Ils avaient besoin de beaucoup d'explications.

2. Il aura besoin de plusieurs mois pour bien comprendre les mœurs de ce pays.

3. Le roi leur demanda: «Ayez-vous besoin de quelque chose?»

4. Le roi leur demanda s'ils avaient besoin de quelque chose.

5. Il leur donna tout ce dont ils avaient besoin.

• NOTE: «il faut» et le pronom indirect peuvent aussi être suivis d'un infinitif. Dans ce cas, ils signifient «devoir».

> EXEMPLE:
> *il me faut* étudier: je dois étudier

Cet emploi de *falloir* est assez rare et littéraire. Le plus souvent, on utilise *devoir*.

Faites deux phrases pour illustrer chacun des deux emplois du verbe *falloir*.

Formation des adverbes

apparent (adj)   solennel (adj)   humble (adj)
apparemment (adv)   *solennellement* (adv) *humblement* (adv)

• Les adjectifs en -ent et -ant forment l'adverbe en remplaçant -nt par -mment (apparemment; couramment). Les autres adjectifs terminés par une consonne forment l'adverbe en ajoutant -ment au *féminin* de l'adjectif (solennellement).

Quels sont les adverbes correspondant aux adjectifs suivants:

religieux	respectable	différent
amical	long	certain
singulier	curieux	

Employez quatre de ces adverbes dans une phrase.

Modifiez les phrases suivantes en remplaçant les mots en italiques par des adverbes:

> EXEMPLE:
> il écoute *avec attention*
> = il écoute *attentivement*

1. Il court *comme un fou.*

2. Tous les matins le roi honore Dieu *en public.*

3. Pangloss parlait *d'une façon savante.*

4. Le vieillard reçut les voyageurs *avec simplicité et amitié.*

5. Les habitants d'Eldorado vivent *dans la gaîte et l'innocence.*

Dans les phrases suivantes, remplacez l'adverbe par une expression équivalente.

> **EXEMPLE:**
> Candide répondit *prudemment* aux questions
> *avec prudence*
> Candide répondit ⎱ *d'une manière prudente*
> *de façon prudente*

1. Le roi invita les étrangers à souper. Ils acceptèrent *joyeusement.*

2. Ils furent *magnifiquement* reçus.

3. Candide pensait *constamment* à Cunégonde.

4. Comme il n'y a pas de prisons en Eldorado, les habitants vivent *sagement.*

5. Un carrosse attelé de six moutons conduisit *rapidement* les voyageurs à la cour du roi.

La satire

Dans ce passage, Voltaire fait la satire des mœurs de son temps en les opposant aux mœurs idéales d'un pays imaginaire. La satire repose donc sur *le contraste* entre les coutumes auxquelles Candide fait allusion et celles d'Eldorado. Ces contrastes sont mis en valeur par les *sent'ments* (surprise, indignation) des interlocuteurs (Candide est *surpris* parce qu'il croyait trouver en Eldorado les mêmes absurdités morales, religieuses et sociales que dans le reste du monde. Le vieillard est *indigné* parce que Candide suppose que ces absurdités existent en Eldorado).

Les contrastes

Relevez les différents termes, ou les phrases, exprimant une opposition *explicite* ou *implicite*.

EXEMPLE:

«Les gens *de votre monde* font des questions bien singulières.»

L'expression des sentiments

Expression indirecte: Candide et le vieillard, pour diverses raisons psychologiques (réserve, pudeur, politesse etc.), n'expriment pas directement leurs sentiments.

EXEMPLES:

Surprise et indignation du vieillard: «Le vieillard rougit un peu...» «Le vieillard rougit encore...» (expression involontaire du sentiment).

Son amusement devant la naïveté et l'ignorance de Candide: «le bon vieillard sourit...»

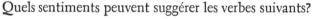

Quels sentiments peuvent suggérer les verbes suivants?

pâlir	hausser les épaules
se mettre à rire	ouvrir de grands yeux
se mettre à trembler	taper du pied

Expression directe par exclamations

EXEMPLES:

«Comment *donc!* dit-il, en pouvez-vous douter?...»

«*Quoi!* vous n'avez point de moines...»

Dans ces deux phrases, *donc* et *quoi* expriment respectivement l'indignation et la surprise. Si l'on supprime ces exclamations, les phrases deviennent moins expressives.

Rendez les phrases suivantes plus expressives en utilisant «donc» pour exprimer la surprise, l'admiration, l'impatience, ou l'indignation:

1. Le roi vous attend. Que faites-vous? (impatience)
2. Vous adorez plusieurs Dieux? (surprise)
3. Comment avez-vous pu parvenir dans notre pays? (surprise)
4. Ces gens-là ne sont pas des sauvages? (surprise et admiration)
5. Vous nous prenez pour des sauvages! (indignation)

- NOTE: *donc* exclamatif se place après le verbe à un temps simple, entre l'auxiliaire et le verbe à un temps composé, avant le mot négatif (pas, rien, jamais etc.) à la forme negative, après le pronom sujet dans une question utilisant l'inversion.

Expression directe par interrogations rhétoriques

- Une question rhétorique est une question à laquelle on n'attend pas de réponse (parce que la réponse est évidente, ou parce que la personne qui pose la question connaît la réponse, ou encore parce que la question exprime en fait une affirmation).

EXEMPLE:

«Est-ce que vous nous prenez pour des ingrats?»

Le vieillard n'attend aucune réponse à cette question. Sa phrase sous-entend: nous serions des ingrats si nous n'avions pas de religion (or, nous ne sommes pas des ingrats). Par cette fausse question, il exprime son indignation.

■

Quelles sont les deux autres interrogations rhétoriques du vieillard? Qu'expriment-elles?

Avec les phrases suivantes, faites des interrogations rhétoriques; précisez le sens et notez le sentiment qu'elles supposent:

EXEMPLE:

Faire brûler les gens? vous êtes fou!

= Faire brûler les gens? *êtes-vous fou?* (la question rhétorique exprime l'indignation. Celui qui parle n'attend pas une réponse à «êtes-vous fou?» il veut dire: «si vous pensez vraiment ce que vous dites, vous devez être fou, c'est une idée folle.»)

1. Nous avons l'air de sauvages.

2. Il y a plusieurs Dieux.

3. Il n'y a rien de plus admirable que le pays d'Eldorado.

4. Pangloss n'est pas le plus grand philosophe de la terre. (question interro-négative)

5. Le peuple n'est pas heureux en Eldorado. (question interro-négative)

Expression des évidences

- Pour exprimer ce qui lui paraît évident, le vieillard utilise des expressions absolues, de sens superlatif.

EXEMPLE:

«Nous avons, je crois, la religion de *tout le monde*; nous adorons Dieu *du soir jusqu'au matin*.»

■

Relevez dans le texte toutes les expressions absolues de ce genre.

Exercice Général

Modifiez le texte suivant en employant les procédés étudiés plus haut
(manifestations extérieures et involontaires; exclamations, interrogations
rhétoriques, expressions absolues):

Candide et Cacambo s'en allèrent à la cour. Candide fit demander à
un grand officier comment on saluait le roi. «L'usage est-il de se jeter par
terre, à genoux, et d'embrasser le sol?» Le grand officier répondit: «La
coutume est simplement d'embrasser Sa Majesté sur les deux joues.
Venez.» Candide et Cacambo coururent embrasser le roi avec respect.
Il leur témoigna une amitié dont les deux voyageurs s'étonnèrent. «Cet
homme est simple et il est aimable, pensa Candide; les rites de nos mo-
narques sont absurdes!» Ils conversèrent longtemps avec Sa Majesté.
Candide, qui croyait savoir beaucoup, s'aperçut qu'il savait peu. Il demanda: «Où est la cour de justice? Les jugements sont-ils nombreux?» Le
roi s'étonna et dit: «Nous n'avons ni cour de justice ni jugements.» «Où
sont les prisons?» demanda Candide. «Nous n'avons pas de prisons car il
n'y a pas de criminels» répondit le roi. «Pas de prisons, s'exclama Candide,
pas de criminels! Les gens d'Eldorado sont plus sages que nos sages d'Europe. Pangloss, vous m'avez caché de grandes choses!»

TEXTE COMPLEMENTAIRE

La conversation suivante est entre un Egyptien et un Indien du Bengale
(un «Gangaride») qui voyagent en Turquie.

...Il était près de manger d'une excellente poule bouillie,
quand l'Indien, le prenant par la main, s'écria avec douleurs:
«Ah! qu'allez-vous faire?—Manger de cette poule, dit l'homme

à la momie.[1]—Gardez-vous en bien,[2] dit le Gangaride; il se pourrait faire que[3] l'âme de la défunte[4] fût passée dans le corps de cette poule, et vous ne voudriez pas vous exposer à manger votre tante? Faire cuire des poules, c'est outrager manifestement la nature.—Que voulez-vous dire avec votre nature et vos poules? reprit le cholérique Égyptien; nous adorons un bœuf et nous en mangeons bien.—Vous adorez un bœuf! est-il possible? dit l'homme du Gange.—Il n'y a rien de si possible, repartit l'autre; il y a cent trente cinq mille ans que nous en usons[5] ainsi, et personne parmi nous n'y trouve à redire.—Ah! cent trente cinq mille ans! dit l'Indien, ce compte est un peu exagére.

Voltaire, *Zadig*

Relevez dans ce texte, comme dans le passage de *Candide*, les exclamations, les interrogations rhétoriques, les expressions absolues (superlatifs, etc.).

REDACTION

Imaginez qu'un habitant d'Eldorado voyage aux Etats-Unis de nos jours. Il pose des questions à un Américain sur divers sujets (le gouvernement, la justice, la guerre, la politique etc.). L'Américain est étonné par ces questions, et l'habitant d'Eldorado est étonné par les réponses. Pensez qu'Eldorado est un pays utopique, idéal, où tout est parfait. Utilisez des exclamations, questions rhétoriques, expressions absolues, etc. comme dans le texte de Voltaire et les exercices sur le style.

---

[1] *l'homme à la momie*: l'Egyptien. Il voyageait avec sa tante. Celle-ci étant morte, il en a fait une momie, qu'il transporte avec lui.
[2] *gardez-vous en bien*: expression idiomatique, "don't you ever do that!"
[3] *il se pourrait faire que*: il se pourrait que
[4] *la défunte*: la morte (la tante de l'Egyptien)
[5] *usons*: faisons

...que ne commencez-vous
par lui montrer l'objet même ;...

Jean-Jacques Rousseau

Émile ou de l'Éducation

Dans *Emile ou de l'Education*, publié en 1762, J. J. Rousseau expose ses idées sur l'éducation des enfants. Emile est un élève imaginé par Rousseau; il est riche et noble, et peut donc être instruit par un *précepteur* avec qui il vit de sa naissance à son mariage, et qui lui donne toute son éducation. Les conseils de Rousseau s'adressent à ce précepteur. Dans le passage suivant, il s'agit de l'observation de la nature par l'élève, et plus particulièrement de sa première leçon d'astronomie.

RENDEZ votre élève attentif aux phénomènes de la nature, bientôt vous le rendrez curieux; mais pour nourrir sa curiosité ne vous pressez jamais de la satisfaire. Mettez les questions à sa portée,[1] et laissez-les lui résoudre. Qu'il ne sache rien parce que vous le lui avez dit, mais parce qu'il l'a compris lui-même; qu'il 5 n'apprenne pas la science, qu'il l'invente. Si jamais vous substi-

[1] *à sa portée:* à son niveau

tuez dans son esprit l'autorité à la raison, il ne raisonnera plus; il
ne sera plus que le jouet de l'opinion des autres.

   Vous voulez apprendre la géographie à cet enfant et vous lui
10 allez chercher ² des globes, des sphères, des cartes: que de ma-
chines! Pourquoi toutes ces représentations? que ne commencez-
vous ³ par lui montrer l'objet même, afin qu'il sache au moins de
quoi vous lui parlez!

   Une belle soirée on va se promener dans un lieu favorable, où
15 l'horizon bien découvert laisse voir à plein le soleil couchant, et
l'on observe les objets qui rendent reconnaissable le lieu de son
coucher. Le lendemain, pour respirer le frais ⁴ on retourne au
même lieu avant que le soleil se lève. On le voit s'annoncer de
loin par les traits de feu qu'il lance au-devant de lui. L'incendie
20 augmente, l'orient paraît tout en flammes: à leur éclat, on attend
l'astre longtemps avant qu'il se montre: à chaque instant on
croit le voir paraître; on le voit enfin. Un point brillant part
comme un éclair et remplit aussitôt tout l'espace; le voile des
ténèbres s'efface et tombe...

25   Ne tenez point à l'enfant des discours qu'il ne peut entendre...⁵ Point de descriptions, point d'éloquence, point de figures, point de poésie. Il n'est pas maintenant question de
sentiment ni de goût. Continuez d'être clair, simple et froid; le
temps ne viendra que trop tôt de prendre un autre langage.

30   Dans cette occasion, après avoir bien contemplé avec lui le
soleil levant, après lui avoir fait remarquer du même côté les
montagnes et les autres objets voisins, après l'avoir laissé causer
là-dessus tout à son aise,⁶ gardez quelques moments le silence
comme un homme qui rêve,⁷ et puis vous lui direz: je songe
35 qu'hier au soir le soleil s'est couché là et qu'il s'est levé là ce
matin, comment cela peut-il se faire? N'ajoutez rien de plus: s'il

---

² *vous lui allez chercher:* vous allez lui chercher (ordre des mots archaïque)
³ *que ne commencez-vous:* pourquoi ne commencez-vous pas?
⁴ *le frais:* l'air frais
⁵ *entendre:* comprendre
⁶ *tout à son aise:* librement, autant qu'il veut.
⁷ *rêve,* ici: pense, réfléchit

vous fait des questions,[8] n'y répondez point; parlez d'autre chose. Laissez-le à lui-même,[9] et soyez sûr qu'il y pensera.

Émile, 1762

QUESTIONS

1. A quoi le maître doit-il rendre son élève attentif? Pourquoi?
2. Pourquoi Emile doit-il résoudre les problèmes lui-même?
3. Expliquez la différence entre «apprendre» et «inventer» («qu'il n'apprenne pas la science, qu'il l'invente»).
4. Quels sont, dans le premier paragraphe, les membres de phrase, mots ou expressions contenant la notion d' «autorité»?
5. Qu'est-ce qui s'oppose précisément à l'autorité? Quels membres de phrase, mots ou expressions s'opposent à la notion d'autorité?
6. Avec quels objets apprend-on généralement la géographie?
7. Qu'en pense Rousseau? Que préfère-t-il?
8. A quel moment de la journée le maître et son élève vont-ils se promener? Quel endroit choisit le maître?
9. Pourquoi retournent-ils au même endroit le lendemain? à quel moment de la journée?
10. Comment s'annonce le soleil?
11. Quelle image montre que la nuit a complètement disparu?
12. Qu'est-ce que le maître doit éviter dans son langage quand il parle à l'élève? Quelles qualités doit-il avoir?
13. Pourquoi le maître dit-il: «Je songe . . . . se faire?»?
14. Montrez en quoi le dernier paragraphe illustre les deux grands principes pédagogiques exprimés dans les deux premiers paragraphes: nécessité de l'observation directe, et réflexion personnelle de l'élève.

GRAMMAIRE

Impératif et subjonctif exprimant l'ordre

• L'ordre s'exprime à l'*impératif*. A la troisième personne (singulier et pluriel) on emploie le *subjonctif* précédé de *que* (l'impératif n'ayant pas de troisième personne).

---

[8] *fait des questions* (arch.): pose des questions
[9] *laissez-le à lui-même*: laissez-le seul avec lui-même, avec ses pensées

Impératif

Relevez tous les impératifs du texte. Donnez les autres personnes pour chaque verbe, et indiquez l'infinitif du verbe.

>   **EXEMPLE:**
>   *Rendez:* Rends, rendons, rendez, verbe *rendre*

• Remarquez que la deuxième personne du singulier de l'impératif des verbes du premier groupe (verbes en -er) ne prend pas d's (ce qui la distingue de la 2eme personne du sing. du présent de l'indicatif: tu parles / parle!). *Exception:* lorsque l'impératif est suivi d'un pronom commençant par une voyelle (en, y); exemple: parles-en!

IMPÉRATIF DES VERBES PRONOMINAUX

• A la forme pronominale, l'impératif est toujours suivi du pronom correspondant (2eme personne singulier: *toi;* 1ere personne sing. et plur.: *nous;* 2eme pers. sing. et plur.: *vous*). Le verbe et le pronom sont réunis par un *trait d'union.*

>   **EXEMPLE:**
>   *se presser*   presse-toi
>   pressons-nous
>   pressez-vous

Donnez les impératifs des verbes suivants:

se lever	se promener
se coucher	se taire
s'arrêter	s'en aller

(Dans le cas de *s'en aller, en* est placé après le verbe et le pronom.; *toi* est remplacé par *t'*).

FORME NÉGATIF DE L'IMPÉRATIF

Verbes simples: ne précède le verbe, *pas* suit le verbe.

>   **EXEMPLE:**
>   *ne* parle *pas.*

Même ordre avec les autres mots négatifs

EXEMPLES:

ne parle *jamais*

n'écoute *personne*

ne demande *rien*

n'en prends *aucun*

Verbes pronominaux: le pronom est placé *avant* le verbe et non après comme à la forme affirmative. ne + pronom + verbe + pas (ou autre mot négatif)

EXEMPLE:

ne vous pressez pas

À la forme négative, le pronom *toi* est remplacé par *te*

EXEMPLE:

presse-*toi* / ne *te* presse pas.

█

Mettez à l'impératif négatif les six verbes pronominaux de l'exercice précédent.

Dans les phrases suivantes, remplacez les parties en italiques par un verbe à l'impératif:

EXEMPLE:

vous devez vous lever tôt si vous voulez voir le lever du soleil

= *levez-vous* tôt si vous voulez voir le lever du soleil!

1. *Il faut que tu voies* le coucher du soleil.
2. *Vous devez vous taire* devant un si beau spectacle.
3. *Il faut que vous vous mettiez* à la portée d'Emile.
4. *Il ne faut pas que vous vous leviez* trop tôt.
5. *Il faut que vous appreniez* votre leçon et *que vous sachiez* de quoi on vous parle.
6. *Il ne faut pas que tu te promènes* toute la journée.
7. *Vous ne devez pas répondre* à toutes les questions d'Emile.
8. *Il ne faut jamais rien dire.*
9. *Il faut que tu t'intéresses* aux mystères de la nature.
10. *Il ne faut pas que tu t'instruises* uniquement par les livres.

PLACE DU PRONOM COMPLÉMENT À L'IMPÉRATIF

• Rappelons l'ordre des pronoms aux autres temps:

Objet Indirect + Objet Direct + verbe: Tu *me le* dis

• Exception: quand les deux pronoms commencent par la même lettre (à la 3ème personne), cet ordre est inversé:

Objet Direct + Objet Indirect + verbe: Tu *le lui* dis

• La même règle s'applique à l'*impératif négatif*:

Ne *me le* dis pas (O.I. + O.D.)
Ne *le lui* dis pas (O.D. + O.I.)

• A l'*impératif affirmatif*, l'ordre est toujours:

Verbe + Objet Direct + Objet Indirect + y/en: Dis-*le lui* Dis-*le moi*

■

Remplacez les noms en italiques par des pronoms:

    1. Apprends *la géographie* à Emile.

    2. Allez me chercher *des cartes.*

    3. Montrez *le soleil couchant* à Emile.

    4. Répondez à *ses questions.*

    5. Faites remarquer *les phénomènes naturels aux enfants.*

    6. Expliquez-nous *le mouvement des astres.*

    7. Pense à *ces phénomènes.*

    8. Souviens-toi *du soleil couchant.*

    9. Parle de *la nature aux enfants.*

    10. Songe *à la beauté du matin.*

Mettez les phrases ci-dessus modifiées à la forme négative.

Subjonctif exprimant l'ordre

• Le subjonctif précédé de *que* à la troisième personne a une valeur
impérative

    EXEMPLE:
    «qu'il n'apprenne pas la science»

■

Relevez dans le texte les subjonctifs à valeur impérative.

Remplacez les membres de phrases en italiques par des subjonctifs impératifs pour exprimer l'ordre ou la défense.

EXEMPLE:

Il ne doit pas apprendre la science
= Qu'il n'apprenne pas la science

1. Le maître *doit rendre* l'élève curieux.
2. Il *doit lui faire observer* les phénomènes naturels.
3. Il *ne doit pas répondre* à toutes ses questions.
4. Emile *doit réfléchir*.
5. Il *doit comprendre* après avoir observé.

Exercices généraux sur l'ordre et la défense

Modifiez le texte suivant en employant des impératifs à chaque fois que vous le pouvez.

Il faut que vous emmeniez Emile dans la nature, que vous vous promeniez, que vous regardiez avec lui le coucher du soleil et que vous lui fassiez remarquer les détails qui accompagnent ce phénomène. Emile devra observer, et poser quelques questions. Le lendemain matin, il faut que vous vous leviez de bonne heure et que vous retourniez au même endroit avec lui. Vous verrez alors le soleil se lever, et après avoir donné quelques explications à Emile, vous vous tairez, vous ne répondrez pas à ses questions. Vous contemplerez le spectacle et vous laisserez l'enfant réfléchir.

Comme Rousseau, donnez vous-même quelques conseils au précepteur d'Emile. Employez des impératifs.

EXEMPLE:
«Rendez votre élève attentif aux phénomènes de la nature.»

Avant que / Après que; après / avant de

Avant que + subjonctif / Après que + indicatif

EXEMPLES:

«On retourne au même lieu *avant que le soleil se lève*» (subjonctif présent)

On retourne au même lieu *après que le soleil s'est levé* (passé composé)

Complétez les phrases suivantes en mettant les verbes au mode et au temps convenables:

1. Après que le soleil (être couché) l'horizon était encore en flammes.

2. Ne satisfaites pas la curiosité d'Emile avant qu'il (réfléchir).

3. Après qu'Emile (voir) le coucher du soleil, il a posé une question.

4. Ne donnez pas de livre à l'enfant avant qu'il (observer) les phénomènes par lui-même.

5. Sortez le matin avant qu'il (faire jour).

• NOTE: Après que est assez rarement employé. Quand c'est possible,
on le remplace par *après* suivi d'un nom correspondant au verbe.

   EXEMPLE:
   après qu'il est parti- = après son départ

Avant de + infinitif / Après + infinitif passé

• Quand la principale et la subordonnée temporelle ont le même
sujet, *avant que + subjonctif* est remplacé par *avant de + infinitif*, et
après que est remplacé par *après + infinitif passé*.

   EXEMPLES:
   «*Après avoir* bien *contemplé* avec lui le soleil levant . . . gar-
   dez quelques moments le silence.»
   Avant de contempler avec lui le soleil levant, laissez-le parler.

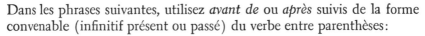

Dans les phrases suivantes, utilisez *avant de* ou *après* suivis de la forme
convenable (infinitif présent ou passé) du verbe entre parenthèses:

1. Il comprendra (après / raisonner).

2. Où va le soleil (après / disparaître) à l'horizon?

3. Employez un langage clair (avant / utiliser) l'éloquence et la poésie.

4. Le soleil se montre longtemps (après / s'annoncer).

5. Le soleil s'annonce par des traits de feu (avant / apparaître).

Modifiez les phrases suivantes sur ce modèle:

   EXEMPLE:
   Laissez l'élève réfléchir puis vous répondrez à ses questions.

   = a) Laissez l'élève réfléchir *avant de* répondre à ses questions.
   b) répondez aux questions de l'élève *après* l'avoir laissé réfléchir.

1. Le soleil illumine l'horizon puis il apparaît.
2. Observez, puis lisez.
3. L'enfant réfléchit, puis il comprend.
4. L'élève étudie les phénomènes naturels, puis il comprend leur poésie.
5. Le maître forme le jugement de l'élève, puis il développe sa sensibilité.

VOCABULAIRE ET STYLE

VOCABULAIRE

Verbes exprimant le changement

a) *substituer* une chose *à* une autre
remplacer une chose *par* une autre
changer une chose *pour* une autre

> **EXEMPLES:**
> Il faut *substituer* l'observation de la nature à l'étude livresque.
> Il faut *remplacer* l'étude livresque *par* l'observation de la nature.
> Il faut *changer* l'étude livresque pour l'observation.

Modifiez la phrase suivante en employant les verbes *substituer à, remplacer par:*

> Rousseau cherche à changer l'éducation de la mémoire pour une éducation du jugement.

Trouvez vous-même un exemple que vous présenterez sous trois formes en employant ces trois verbes.

rendre (quelqu'un / quelque chose) + *adjectif*

> **EXEMPLE:**
> «*Rendez* votre élève *attentif* . . .»

(Attention: employez toujours le verbe *rendre,* et non le verbe *faire* dans cette expression)

Trouvez dans le texte deux autres exemples de cet emploi du verbe *rendre.*

Employez dans une phrase chacune des expressions suivantes: *rendre heureux; rendre savant; rendre fou.*

Inventez deux phrases avec *rendre* suivi d'un adjectif.

Verbes exprimant des opérations intellectuelles et des perceptions

—Opérations intellectuelles:

résoudre	raisonner
comprendre	rêver
apprendre	songer
inventer	penser

—Perceptions:

voir	contempler
observer	remarquer

Quel est dans le texte, le contraire de *résoudre un problème?* Faites une phrase avec les deux expressions.

Le verbe «apprendre» est employé dans deux sens différents dans le texte:

EXEMPLES:
«Qu'il n'apprenne pas la science . . .»
«Vous voulez apprendre la géographie à cet enfant . . .»

Expliquez ces deux sens du verbe. Faites vous-même deux phrases illustrant ces deux emplois.

songer et *rêver*

• Le premier sens de *songer* est *rêver* (un songe: un rêve). Puis *songer* a prise le sens de *penser.*

D'après l'exemple du texte, lequel de ces deux verbes indique une pensée précise? une pensée vague?

Quelle différence y a-t-il entre *voir* et *contempler?* entre *voir* et *observer?*

EXEMPLES:

«on le *voit* s'annoncer.»

«après avoir bien *contemplé* avec lui le soleil levant.»

«on *observe* les objets qui rendent reconnaissable le lieu de son coucher.»

Trouvez trois phrases dans lesquelles vous emploierez les verbes *voir*, *contempler* et *observer*.

Expressions de temps

une belle soirée	*hier (au) soir*
le lendemain	*ce matin*

Emploi de jour / journée; matin / matinée; soir / soirée

• En général, on emploie *jour*, *matin*, *soir* pour exprimer une date, un *moment* précis (par exemple, le *matin* comme *moment* de la journée, par opposition aux autres moments: l'après-midi, le soir).

• On emploie *journée*, *matinée*, *soirée* pour exprimer la *durée* de la période de temps, ou quand on décrit une *qualité* de cette période.

EXEMPLES:

Ils iront voir le soleil couchant ce *soir*. (date, moment précis)

Ils passeront une bonne *soirée*. (durée + qualité)

Les *soirées* sont fraîches en automne. (qualité)

Complétez les phrases suivantes

avec *matin* ou *matinée* (précédé de l'article défini lorsqu'il est nécessaire)

1. Emile se lève _____ à sept heures.
2. Il passe _____ à parler avec son maître.
3. En été, _____ sont plus (longs ou longues).

avec *jour* ou *journée*

1. Quand il fait beau, Emile et son maître passent _____ dehors.
2. Chaque _____ ils observent des phénomènes différents.
3. _____ se passe à se promener et à herboriser.

Rédigez un paragraphe (par exemple, sur votre emploi du temps de la semaine) dans lequel vous emploierez une fois au moins chacun des mots jour, journée, matin, matinée, soir, soirée.

STYLE

Raisonnement et didactisme

Parallélismes et oppositions

Dans les deux premiers paragraphes, chaque idée est exprimée par deux phrases ou deux membres de phrases contenant soit un parallélisme, soit une opposition

> **EXEMPLES:**
> «Rendez votre élève attentif aux phénomènes de la nature, bientôt vous le rendrez curieux.» = *parallélisme* de la répétition du verbe *rendre* (à l'impératif) suivi d'un adjectif.
>
> «qu'il n'apprenne pas la science, qu'il l'invente.» = *opposition* des deux verbes *apprendre* et *inventer* (l'opposition est accentuée par l'absence de mot de liaison, par exemple «*mais*»).

Relevez les autres parallélismes et oppositions dans les deux premiers paragraphes.

Comparez les deux phrases:

— «Qu'il ne sache rien parce que vous le lui avez dit mais parce qu'il l'a compris lui-même.»

— «qu'il n'apprenne pas la science, qu'il l'invente.»

Toutes deux expriment la même idée. Quelle est cette idée? Elles ont une structure semblable. Quelle est cette structure? A quelles parties de la première phrase correspondent «qu'il n'apprenne pas la science» et «qu'il l'invente»?

Selon vous, qu'est-ce qui donne de la vigueur au style de ces deux phrases (mode du verbe, rythme, construction . . .)?

Quelles sont les différences de forme entre les deux phrases? La seconde est plus courte. A quelle qualité ceci correspond-il?

Ecrivez deux phrases sur le modèle de celles-ci pour donner un conseil à Emile.

Eloquence et rythmes oratoires

Dans les deux derniers paragraphes, les *accumulations* et *répétitions* (caractéristiques du style oratoire) donnent un rythme plus large à chaque phrase.

EXEMPLE:

«point de descriptions, point d'éloquence, point de figures, point de poésie» (accumulation de termes, répétition de «point de»)

Relevez d'autres exemples de ce procédé dans les deux derniers paragraphes.

Récrivez le second paragraphe du texte en utilisant «point (ou pas) de» comme dans l'exemple ci-dessus.

Exprimez en un paragraphe tout ce qu'un jeune enfant doit faire (selon Rousseau) avant de commencer à étudier dans des livres. Utilisez le procédé de l'accumulation et de la répétition (par exemple en répétant «avant de»).

Description

Le troisième paragraphe du texte est une *description* du lever du soleil. Le style est donc un peu différent des autres paragraphes. Mais ce n'est pas une *description pure*. Rousseau pense toujours à l'*expérience* d'Emile.

L'observation du lever du soleil.

La description est faite *du point de vue d'un observateur* qui attend, s'intéresse au spectacle, s'impatiente etc.

Relevez les verbes qui expriment ce point de vue. Notez qu'ils ont tous le même sujet (lequel?).

À quoi l'observateur s'intéresse-t-il particulièrement? quels mots le montrent?

Relevez les termes qui expriment la progression de la lumière.

Trouvez deux mots qui expriment la soudaineté de l'apparition du soleil.

Les images

Le lever du soleil est annoncé au moyen d'une comparaison. Laquelle?
Notez les trois termes qui expriment cette comparaison.

Relevez les images qui font partie de la description du soleil levant.
Notez que ces images ne sont pas originales: ce sont des *clichés*. Au dix-huitième siècle, les écrivains (même ceux, comme Rousseau, qui étaient sensibles à la nature) ne recherchaient pas l'originalité dans la description. Ils s'intéressaient beaucoup plus à l'expression des idées, des abstractions. C'est pourquoi leur style est en général très abstrait, même dans les descriptions de la nature.

Caractère abstrait de la description

Termes vagues et abstraits:
   —noms, adjectifs (exemple: «un *point* brillant»)
   —verbes (exemples: «l'incendie *augmente*»; «un point.... *remplit* l'espace»)

Le lever du soleil est-il décrit par rapport aux objets? y a-t-il un paysage? des couleurs?

Comparez cette description à celle du soleil levant à Athènes par Chateaubriand:

J'ai vu, du haut de l'Acropolis, le soleil se lever entre les deux cimes du mont Hymette; les corneilles, qui nichent autour de la citadelle mais qui ne franchissent jamais son sommet, planaient au-dessous de nous; leurs ailes noires et lustrées étaient glacées de rose par les premiers reflets du jour; des colonnes de fumée bleue et légère montaient dans l'ombre le long des flancs de l'Hymette et annonçaient les parcs ou les chalets des abeilles; Athènes, l'Acropolis et les débris du Parthénon se coloraient de la plus belle teinte de la fleur du pêcher; les sculptures de Phidias, frappées horizontalement d'un rayon d'or, s'animaient et semblaient se mouvoir sur le marbre par la mobilité des ombres du relief; au loin la mer et le Pirée étaient tout blancs de lumière; et la citadelle de Corinthe, renvoyant l'éclat du jour nouveau, brillait sur l'horizon du couchant comme un rocher de pourpre et de feu.

En quoi ce texte est-il plus précis, plus pittoresque dans la description que celui de Rousseau (éléments du paysage; couleurs)?

TEXTE COMPLEMENTAIRE

Si j'avais été pensionnaire [1] dans un lycée, le souvenir de mes études me serait cruel et je le chasserais. Mais mes parents ne me mirent pas à ce bagne. J'étais externe [2] dans un vieux collège un peu monacal et caché; je voyais chaque jour la rue et la maison et n'étais point retranché, comme les pensionnaires, de la vie publique et de la vie privée. Aussi, mes sentiments n'étaient point d'un esclave; [3] ils se développaient avec cette douceur et cette force que la liberté donne à tout ce qui croît [4] en elle. Il ne s'y mêlait pas de haine. La curiosité y était bonne et c'est pour aimer que je voulais connaître. Tout ce que je voyais en chemin dans la rue, les hommes, les bêtes, les choses, contribuait, plus qu'on ne saurait croire, à me faire sentir la vie dans ce qu'elle a de simple et de fort.

Rien ne vaut la rue pour faire comprendre à un enfant la machine sociale. [5] Il faut qu'il ait vu, au matin, les laitières, les porteurs d'eau, [6] les charbonniers; il faut qu'il ait examiné les boutiques de l'épicier, du charcutier et du marchand de vin, il faut qu'il ait vu passer les régiments, musique en tête; il faut enfin qu'il ait humé l'air de la rue, pour sentir que la loi du travail est divine et qu'il faut que chacun fasse sa tâche en ce monde.

Anatole France, *Le Livre de mon ami*

[1] *pensionnaire:* un élève qui habite au lycée.

[2] *externe:* un élève qui n'habite pas au lycée, qui rentre chez lui pour les repas et après les cours.

[3] *n'étaient point d'un esclave:* n'étaient pas ceux d'un esclave

[4] *croît:* présent du verbe *croître* (to grow)

[5] *la machine sociale:* le mécanisme de la vie sociale.

[6] *les porteurs d'eau:* water carriers (ce texte a été écrit vers 1880)

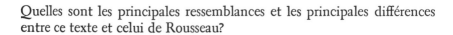

Quelles sont les principales ressemblances et les principales différences entre ce texte et celui de Rousseau?

REDACTION

Comme Rousseau, vous avez sans doute une idée de ce que l'enseignement doit être (enseignement des mathématiques, des sciences, des langues etc.) Dites à un professeur ce qu'il doit faire et ne pas faire, et ce que l'élève doit faire et ne pas faire. Employez comme dans le texte de Rousseau des impératifs et des subjonctifs impératifs.

Pour moi, ce sera de me marier.
Pour vous, il s'agirait de
bien autre chose peut-être.

Marguerite Duras

Le Square

Le Square est un long dialogue entre deux personnages, un homme et une jeune fille qui se sont rencontrés sur un banc, dans un jardin public. Il est voyageur de commerce, elle est bonne à tout faire. Ils engagent la conversation et parlent de leur métier respectif, de leur existence. Tous deux sont insatisfaits, mais ils voient l'avenir de façon différente. L'homme pense que sa vie ne changera pas, la jeune fille est fermement décidée à changer, à quitter son emploi de bonne, à se marier, etc. Dans ce passage, ils discutent des raisons qui les ont conduits à prendre leur métier actuel, et de possibilités d'en changer.

—VOUS comprenez, Mademoiselle, je n'avais de disposition particulière pour aucun métier, ni pour une existence quelconque. Au fond, je crois que cela va durer pour moi, oui, je le crois.

—Vous n'aviez que des répugnances, alors, pour toutes les existences et pour tous les métiers? 5

—Pas de répugnances, non, ce serait trop dire, mais pas de

goûts non plus. J'étais comme la plupart des gens, en somme.
Cela m'est arrivé comme à tout le monde, vraiment.

—Mais entre ce qui vous ¹ est arrivé il y a longtemps et ce qui
vous ¹ arrive maintenant, chaque jour, n'a-t-on pas le temps de
changer et de prendre goût à autre chose, à quelque chose?

—Eh bien! oui! je ne dis pas,² pour beaucoup ³ cela doit arriver, oui, mais pour certains, non. Il y en a qui doivent s'accommoder ⁴ de ne jamais changer. Au fond, ce doit être mon cas. Et
vraiment, je le crois, pour moi, cela va durer.

—Pour moi, Monsieur, cela ne durera pas.

—Pouvez-vous déjà le prévoir, Mademoiselle?

—Oui. Mon état n'est pas un état qui puisse durer. Il est dans
sa nature de se terminer tôt ou tard. J'attends de me marier. Et
dès que je le serai,⁵ c'en sera fini pour moi de cet état.⁶

—Je comprends, Mademoiselle.

—Je vieux dire qu'il laissera aussi peu de traces dans ma vie
que si je ne l'avais jamais traversé.

—Mais peut-être que, pour moi aussi, on ne peut jamais tout
prévoir, n'est-ce pas, un jour je changerai de travail.

—Mais moi, je le désire, Monsieur, c'est différent. . . .

—Ainsi vous, Mademoiselle, vous attendez autre chose?

—Oui. Il n'y a aucune raison pour que je ne me marie pas un
jour, moi aussi, comme les autres. C'était ce que je vous disais.

—C'est vrai. Il n'y a aucune raison pour que cela ne vous arrive
pas un jour, à vous aussi.

—Naturellement, c'est un état si décrié que le mien qu'on
pourrait dire le contraire, qu'il n'y a aucune raison pour que cela
m'arrive un jour. Dans mon cas, pour que cela semble naturel il
faut le vouloir de toutes ses forces. C'est ainsi que je le veux.

---

¹ *vous*, ici, *on*
² *je ne dis pas* (familier): je ne dis pas non, je ne dis pas que vous avez tort.
³ *beaucoup*: beaucoup d'hommes
⁴ *s'accommoder de*: accepter de.
⁵ *dès que je le serai*: dès que je serai mariée
⁶ *c'en sera fini pour moi de cet état*: cet état sera fini pour moi

—Sans doute n'y a-t-il pas de raison dont on ne puisse venir à bout, Mademoiselle, on le dit tout au moins.

—J'ai beaucoup réfléchi. Je suis jeune, bien portante, je ne suis pas menteuse, je suis une de ces femmes comme on en voit partout et dont la plupart des hommes s'accommodent. Et cela m'étonnerait quand même [7] qu'il ne s'en trouve pas un, [8] un jour, qui le reconnaîtra [9] et qui ne s'accommodera pas de moi. J'ai de l'espoir.

—Sans doute, Mademoiselle, mais moi, où mettrais-je [10] une femme, si c'est de ce changement-là que vous voulez parler? Je n'ai pour tout bien que [11] cette petite valise et je suffis à peine à nourrir ma seule personne.

—Je ne veux pas dire, Monsieur, qu'à vous, il vous faille ce changement-là. Je parle de changement en général. Pour moi, ce sera de me marier. Pour vous, il s'agirait de bien autre chose peut-être.

Le Square, 1949

QUESTIONS

1. L'homme a-t-il choisi son métier? Pourquoi?
2. Que font les autres?
3. Un changement est-il possible, en général?
4. Ce changement est-il possible pour l'homme? Pour la jeune fille?
5. Pour quelles raisons la jeune fille peut-elle prévoir qu'elle changera?
6. Qu'attend-elle? Est-il possible que cela arrive? Pourquoi? Est-il possible que cela n'arrive pas? Pourquoi? Que fait-elle pour que cela arrive?

[7] *cela m'étonnerait quand même*: cela m'etonnerait beaucoup, m'étonnerait vraiment.

[8] *qu'il ne s'en trouve pas un*: qu'il n'y en ait pas un (ie: un homme)

[9] *qui le reconnaitra*: qui le verra, qui le comprendra (*le* reprend ce qu'elle a dit dans la phrase précédente, c'est-à-dire le fait qu'elle est jeune, bien portante, pas menteuse etc.)

[10] *où mettrais-je femme*: que ferais-je d'une femme

[11] *je n'ai pour tout bien que*: je ne possède que

7. Pourquoi a-t-elle de l'espoir?
8. Espère-t-elle choisir un homme elle-même ou être choisie?
9. En quoi consiste sa modestie?
10. Pourquoi l'homme ne pourrait-il pas se marier? Pourquoi ne pourrait-il pas vouloir changer, comme la jeune fille?

GRAMMAIRE

Le subjonctif

• Le subjonctif s'emploie principalement dans les propositions subordonnées. Les deux cas les plus fréquents de l'emploi du subjonctif sont:

—après certaines *conjonctions* qui introduisent la subordonnée;

—après certains *verbes* (ou expressions contenant un verbe).

Emploi du subjonctif après certaines conjonctions

Ces conjonctions sont: afin que, bien que, jusqu'à ce que, pour que, pourvu que, quoique, sans que, avant que, de peur que, à moins que, de façon que, de sorte que.

EXEMPLE:
«pour que cela semble naturel, il faut le vouloir.»

Relevez dans le texte les subjonctifs introduits par une conjonction.

Complétez les phrases suivantes en mettant le verbe au subjonctif:

1. Bien qu'il (comprendre) la jeune fille, l'homme ne veut pas changer.
2. Vous ne changerez pas, à moins que vous ne le (vouloir) de toute votre force.
3. Elle veut se marier pour que sa vie (devenir) différente.
4. Quoiqu'ils (avoir) des points de vue opposés, l'homme et la jeune fille se comprennent.
5. Elle ne sera pas heureuse avant qu'un homme ne l' (épouser).

Mettez le verbe entre parenthèses à l'indicatif ou au subjonctif selon la conjonction employée:

1. Les deux personnages se sont parlé dès qu'ils (se rencontrer).
2. Chacun explique soigneusement son point de vue afin que l'autre le (comprendre) bien.
3. Quand elle (se marier), elle ne sera plus bonne à tout faire.
4. Elle veut se marier parce qu'elle (vouloir) changer.
5. Son travail peut-il changer sans qu'il (pouvoir) le prévoir?
6. Ce n'est pas que j' (avoir) des répugnances, mais je n'ai pas de goûts non plus.
7. J'attendrai jusqu'à ce qu'un homme (vouloir) se marier avec moi.
8. Puisqu'il n' (avoir) aucune disposition particulière pour aucun métier, il est devenu voyageur de commerce.
9. Pour qu'il (pouvoir) se marier, il faudrait qu'il (avoir) plus d'argent.
10. A moins qu'un homme ne l' (épouser), elle restera bonne à tout faire.

INFINITIF OU SUBJONCTIF

• On emploie l'infinitif au lieu du subjonctif dans une subordonnée introduite par une conjonction quand les deux propositions reliées par la conjonction ont le même sujet.

• NOTE: devant un infinitif, la conjonction devient une préposition. En devenant prépositions, toutes les conjonctions perdent «que». Les modifications sont les suivantes:

a) *afin que, avant que, de peur que, à moins que, à condition que: que* est remplacé par *de* (*afin de, avant de, de peur de, à moins de, à condition de*).

b) *pour que, sans que, jusqu'à ce que* deviennent *pour, sans, jusqu'à.*

c) *de façon que* devient *de façon à.*

• *Bien que, pourvu que, quoique, de sorte que* ne peuvent pas se transformer en prépositions devant un infinitif. On doit donc employer le subjonctif après ces conjonctions même si les deux propositions ont le même sujet.

Dans les phrases suivantes, mettez les subordonnées entre parenthèses à l'infinitif, et modifiez les conjonctions comme il convient:

1. Il est devenu voyageur de commerce (sans qu'il le veuille).

2. (Avant qu'ils arrivent) dans le square, ils ne se connaissaient pas.

3. Il n'avait pas de goût particulier (pour qu'il soit) voyageur de commerce.

4. (A moins qu'il ne change) de métier, il ne peut nourrir une femme et une famille.

5. Elle va au bal chaque semaine (afin qu'elle rencontre) des hommes.

Dans les phrases suivantes, mettez les verbes entre parenthèses au subjonctif quand c'est nécessaire; si l'on doit employer l'infinitif, modifiez la conjonction comme il convient:

1. Elle travaille beaucoup, afin que ses maîtres (être) satisfaits.

2. Il voyage sans que jamais il (s'arrêter).

3. La jeune fille pose des questions pour que l'homme (répondre).

4. A moins que je (mentir), je ne peux pas dire que j'aime mon métier.

5. Elle n'avait jamais raconté sa vie à personne avant qu'elle (rencontrer) le voyageur de commerce.

Emploi du subjonctif après certains verbes

• Le subjonctif s'emploie après des verbes ou expressions verbales exprimant:

la volonté, l'ordre, le désir (vouloir, désirer, exiger, ordonner, permettre, préférer, souhaiter etc.)

le sentiment personnel et les émotions (être content, désolé, étonné, surpris, triste; avoir honte, peur; s'étonner, se plaindre; regretter etc. On peut ajouter à cette liste toutes les expressions impersonnelles qui expriment une opinion de la personne qui parle: il est douteux, esssentiel, étonnant, faux, important, impossible, incroyable, naturel, possible, préférable que.)

la négation et le doute (nier, douter, contester, et les verbes penser, croire, espérer *à la forme négative*; notez aussi qu'un certain nombre des expressions impersonnelles exprimant une opinion personnelle entrent aussi dans cette catégorie: il est douteux, faux, impossible . . .)

• NOTE: Pour se souvenir des types de verbes suivis du subjonctif, on peut utiliser, en anglais, le moyen mnémotechnique suivant:

T	Thinking	W	Wanting
H	Hoping	O	Order
E	Emotion	R	Request
		D	Doubt

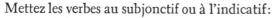

Mettez les verbes au subjonctif ou à l'indicatif:

1. Elle souhaite qu'il (changer).
2. Elle espère qu'un homme (s'accommoder) d'elle.
3. Je ne doute pas qu'elle (réfléchir) beaucoup tout en parlant.
4. Elle regrette qu'il ne (prendre) pas goût à autre chose.
5. Je suis heureux que vous (espérer), Mademoiselle.
6. Elle craint qu'il n' (avoir) pas d'espoir.
7. Il arrive qu'on (venir à bout de) toutes les difficultés.
8. Je ne suis pas certaine que vous (devoir) vous marier.
9. Mais je pense que vous (pouvoir) changer.
10. Il faut que son état de bonne à tout faire (finir).

INFINITIF OU SUBJONCTIF (même règle que précédemment)

Dans les phrases suivantes, mettez les subordonnées entre parenthèses à l'infinitif (*que* disparaît, ou devient *de*, selon la construction du verbe).

1. Elle espère (qu'elle pourra) se marier bientôt.
2. Il craint (qu'il ne puisse pas) nourrir une famille.
3. Je suis heureux (que je voyage).
4. Elle souhaite (qu'elle rencontre) un homme qui l'épouse.
5. Non, il ne regrette pas (qu'il ne change pas).

Autres emplois du subjonctif

* *dans une subordonnée relative:* le verbe est à la forme négative, ou l'antécédent est indéfini (l'existence de la chose, ou du fait, dont on parle n'est pas certaine).

   EXEMPLE:
   «il n'y a pas de raison *dont* on ne *puisse* venir à bout.»

* *après un indéfini* correspondant aux expressions anglaises whoever, whomever, whatever, wherever, however (qui que, quoi que, où que, etc.).

   EXEMPLE:
   «de quelque façon que ce soit»

Relevez dans le texte des subjonctifs appartenant à ces deux catégories.

■

Remplacez les infinitifs entre parenthèses par des subjonctifs:

1. Quoi qu'il (faire) il n'a ni goûts ni répugnances.
2. Connaît-elle un homme qui (vouloir) l'épouser?
3. Connaissez-vous une jeune fille qui (avoir) autant de courage que celle-ci?
4. Où qu'il (aller), il éprouve toujours les mêmes sentiments.
5. De quelque façon que je le (vouloir), je ne pourrai pas changer.

EMPLOI DES TEMPS DU SUBJONCTIF: CONCORDANCE

• On emploie le *subjonctif passé* pour exprimer une action *antérieure* à celle exprimée par le verbe de la principale.

EXEMPLES:

Elle s'étonne qu'il *ait* toujours *fait* le même métier. (action antérieure au verbe de la principale: subj. passé)

Elle s'étonne qu'il *fasse* ce métier. (les deux actions sont simultanées: subjonctif présent)

• La même règle s'applique lorsque l'infinitif remplace le subjonctif; l'antériorité est exprimée par l'*infinitif passé*.

EXEMPLES:

Elle regrette de ne pas *avoir trouvé* de mari jusqu'à maintenant.

Elle regrette de ne pas *trouver* de mari.

■

Mettez les verbes entre parenthèses au subjonctif ou à l'infinitif passés:

1. Cela m'étonne qu'aucun homme ne vous (remarquer) jusqu'à présent.
2. Je ne pense pas (avoir) de répugnances particulières quand j'ai pris ce métier.
3. Il est devenu voyageur de commerce, bien qu'il (ne pas le vouloir vraiment)
4. Je regrette de vous (poser) cette question indiscrète; je n'aurais pas dû.
5. Quelque métier que vous (faire) autrefois, vous pouvez toujours en changer maintenant.

Exercice général sur le subjonctif

Mettez les verbes entre parenthèses au subjonctif (présent ou passé), à l'indicatif ou à l'infinitif (présent ou passé) selon le cas:

Un homme et une jeune fille sont assis sur un banc dans un square. Bien qu'ils (ne pas se connaître), bien qu'ils (ne jamais se voir), ils se mettent à parler presque aussitôt. Chacun parle de sa condition. Elle espère (changer), et s'étonne que lui, il (ne pas vouloir) changer. Elle pense qu'il (falloir) qu'il (essayer) de changer de métier. Il est possible qu'elle (avoir raison). Sans aucun doute, elle a raison de (espérer), elle, puisqu'elle (vouloir) se marier, et qu'elle le (vouloir) de toutes ses forces. De plus, elle est jeune, bien portante, et il n'y a pas de raison pour qu'un homme ne (reconnaître) pas ses qualités, et ne l' (épouser) pas tôt ou tard. Mais lui, quoique son métier (être) un tout petit métier, et qu'il n' (avoir) pour tout bien qu'une valise, il a l'air d'en être presque satisfait. Il ne regrette pas de (choisir) ce métier. D'ailleurs, il ne l'a pas vraiment choisi. Ce n'est pas qu'il (décider) de voyager, mais comme il n' (avoir) ni goûts ni répugnances, c'est arrivé tout seul, sans qu'il le (vouloir).

Les Indéfinis

• On appelle *indéfinis* des adjectifs et des pronoms très nombreux et très différents mais qui ont tous un point commun: ils impliquent une certaine *imprécision* de la personne ou de la chose qu'ils désignent. Ainsi: *quelques* personnes: on ne sait pas *combien* de personnes, leur nombre reste imprécis. *Quelqu'un*: ce mot désigne une personne particulière, mais on ne sait pas *qui*, il est donc imprécis. *Certains*: le mot désigne des individus particuliers, et opposés à d'autres, mais on ne sait pas *qui* sont ces individus, ni *combien* ils sont; le mot est donc lui aussi imprécis.

Relevez les indéfinis du texte en notant s'ils sont adjectifs ou pronoms (comme pour les possessifs, démonstratifs, etc. la distinction est la même: l'adjectif *accompagne* un nom, le pronom *remplace* un nom, donc est employé seul).

Pronoms composés de «quelque»: *quelqu'un, quelque chose, quelque part* [1] *et leur forme négative.*

---

[1] *quelque part*, et les autres mots exprimant le lieu (*nulle part, partout, n'importe où*) sont en fait des adverbes ou locutions adverbiales, mais par leur forme et leur sens, ils se rapprochent des indéfinis, et il semble logique de les étudier ici.

formes affirmative et interrogative	*forme négative*
quelqu'un	personne
quelque chose	rien
quelque part	nulle part

• NOTE: contrairement à l'anglais, le français emploie le même mot à la forme affirmative et à la forme interrogative. Chacun de ces indéfinis: *quelqu'un, quelque chose, quelque part* correspond donc à deux indéfinis anglais: *someone / anyone?, something / anything?, somewhere / anywhere?*

Dans les phrases suivantes, remplacez les mots soulignés par *quelqu'un, quelque chose* ou *quelque part*; mettez ensuite chaque phrase à la forme interrogative, puis négative.

EXEMPLES:

Tu vois *un objet.*

Tu vois *quelque chose.*
Vois-tu *quelque chose?*
Tu ne vois *rien.*

1. L'homme porte une *valise.*
2. Elle a rencontré *un voyageur de commerce.*
3. Ils sont allés *au bal* ensemble.
4. *Un malheur* est arrivé hier.
5. Ils se racontent *leur vie.*

EMPLOI D'UN ADJECTIF APRÈS LES PRONOMS CI-DESSUS

• L'adjectif qui suit *quelqu'un, quelque chose, personne, rien,* est *toujours masculin* et *toujours précédé* de la particule «de» (note: *quelque part, nulle part* ne peuvent pas être suivis d'un adjectif).

Modifiez les phrases suivantes en remplaçant les mots soulignés par un des pronoms indéfinis ci-dessus:

EXEMPLE:

Elle a *une qualité* exceptionnelle
= Elle a *quelque chose* d'exceptionnel

   1. Voilà *une femme* raisonnable!

   2. Il n'a de goût pour *aucun métier* particulier.

   3. Elle s'accommodera d'*un homme* honnête.

   4. Cette jeune fille attend *un événement* important.

   5. Il n'y a *pas de gens* heureux dans ce square.

PRONOMS COMPOSÉS DE «QUELQUE» + DE + AUTRE

formes affirmative interrogative	*forme négative*
quelqu'un d'autre	personne d'autre
quelque chose d'autre	rien d'autre
(on dit aussi: autre chose)	

  • Notez aussi: autre part (ou ailleurs)   nulle part ailleurs

Répondez d'abord affirmativement puis négativement aux questions suivantes en remplaçant les mots soulignés par un des composés ci-dessus:

   1. A-t-elle parlé à *un autre homme?*

   2. L'homme a-t-il encore *des choses* à dire?

   3. Peut-il se confier à *une autre personne?*

   4. Peut-on imaginer cette scène *dans un autre endroit?*

   5. Connaît-elle *un autre genre de vie?*

Tout; tout le monde; tous; partout

Tout (everything) est un pronom et ne s'applique qu'aux choses (notez que *toutes les choses* ne veut pas dire *everything* mais *all the things*).

Tous (everyone) est un pronom pluriel qui désigne des personnes. Son emploi est plutôt littéraire. Le plus souvent, il est remplacé par *tout le monde* (everybody). *Tout le monde*, comme *tout*, est toujours suivi d'un verbe au *singulier*.

Partout (adverbe) = everywhere.

Répondez aux questions suivantes en utilisant *tout, tout le monde* ou *partout* selon le cas:

EXEMPLE:

la jeune fille a-t-elle essayé quelque chose pour changer? Oui, elle a tout essayé (notez la place de tout).

1. Quand l'homme lui a expliqué ses sentiments, la jeune fille a-t-elle compris quelque chose?

2. Est-ce qu'elle s'intéresse aux gens?

3. Le représentant de commerce est-il allé quelque part?

4. Est-ce que quelqu'un peut faire son métier?

5. La jeune fille donnerait-elle quelque chose pour trouver un mari?

Les composés de «n'importe»

n'importe qui (anyone, affirmatif) ⎤
n'importe quoi (anything, affirmatif) ⎬ *pronoms*
n'importe où (anywhere, affirmatif) ⎦

n'importe quel (quelle) + nom: adjectifs

n'importe lequel, laquelle, lesquels, lesquelles: *pronoms*

Dans les phrases suivantes, remplacez les mots soulignés 1) par *n'importe qui, n'importe quoi* ou *n'importe où* selon le cas 2) par n'*importe quel* + nom 3) par *n'importe lequel* (faites l'accord nécessaire).

EXEMPLE:

elle épousera *un homme*

1) elle épousera *n'importe qui*
2) elle épousera *n'importe quel homme*
3) elle épousera *n'importe lequel*

1. Il accepterait de faire *ce métier* pour gagner sa vie.

2. Il ira habiter *une autre ville* s'il le faut.

3. Elle dansera avec *un jeune homme*.

4. Elle préférerait *un autre métier*.

5. Quand il s'ennuie, il adresse la parole à *une voisine*.

Quelconque: cet adjectif a à peu près le même sens que *n'importe quel*. Mais *n'importe quel* se place toujours devant le nom utilisé sans article. *Quelconque* se place en général *après* le nom, et le nom est *toujours précédé de l'article indéfini* (exemple: *n'importe quel* travail; *un* travail *quelconque*).

Quelques (some, a few) : adjectif
Quelques-uns (unes) (some, a few) : pronom
Chaque (each) : adjectif
Chacun (une) (each one) : pronom

Complétez les phrases suivantes en employant le pronom ou l'adjectif qui convient:

1. Ce square est très petit. Il n'y a que _____ bancs.

2. Dans _____ ville, il y a un square.

3. Cette scène se passe dans une ville _____. Le lieu n'a pas d'importance.

4. Les deux personnages parlent. _____ exprime ses idées sur la vie.

5. Ils sont d'accord sur _____ de ces idées.

6. Puisque vous n'avez aucun goût particulier, vous pouvez choisir _____ métier.

7. Toutes les bonnes se retrouvent dans le square; _____ amène un ou plusieurs enfants.

8. Comme elles ne font pas attention, pendant qu'elles parlent, les enfants font _____ bêtises.

9. La plupart des hommes aimeraient changer de métier, cependant, _____ ne veulent pas changer.

10. Elle n'attend pas quelqu'un de précis; elle s'accommodera d'un homme _____.

• *La plupart:* est *toujours* suivi de *des* et d'un nom au pluriel (exception: la plupart du temps).

EXEMPLE:
«j'étais comme la plupart des gens.»

Complétez les phrases suivantes en employant «la plupart» ou «tout le monde» selon le cas:

1. _____ fréquente les squares en été.

2. _____ gens ne réfléchissent pas tant.

3. _____ temps, il voyage.

4. Croyez-vous que _____ aime son métier?

5. Dans _____ cas, une jeune fille se marie.

Répondez aux questions suivantes en utilisant des indéfinis:

EXEMPLE:
Est-ce qu'il lui a parlé? (oui)
= Oui, il lui a dit *quelque chose*

1. Est-il différent des autres? (non)
2. Aimeriez-vous changer de métier? (oui)
3. Connaît-il quelqu'un dans cette ville? (non)
4. Venez-vous ici souvent? (oui)
5. Veut-elle épouser un homme en particulier? (non)
6. Est-ce qu'elle a parlé à quelqu'un d'autre? (non)
7. Restera-t-il dans cette ville? (non)
8. Aime-t-il aller dans une ville plutôt qu'une autre? (non)
9. L'homme et la jeune fille ont-ils les mêmes opinions sur la vie (non)
10. Des personnages comme eux existent-ils seulement en France? (non)

VOCABULAIRE ET STYLE

Quelques expressions idiomatiques

- (Vouloir) *de toutes ses forces:* suggère l'*intensité* du sentiment; avec d'autres verbes, exprime l'effort, la violence, l'application etc.

- *Venir à bout de* (quelque chose): arriver à faire, à finir (quelque chose); suggère une entreprise difficile.

- *Il s'agit de* (expression *impersonnelle;* ne peut avoir pour sujet que le «il» impersonnel)

- *avoir l'air de* + infinitif: sembler

- *prendre goût à* (quelque chose): se mettre à aimer

EXEMPLES:
Bien qu'elle déteste son métier, elle travaille *de toutes ses forces.*

Ils ne *viendront jamais à bout* de cette guerre.

De quoi parliez-vous? De quoi *s'agit-il?*

Vous écoutez, mais vous *n'avez pas l'air* de comprendre.

A cause de son métier, il *a pris goût aux* voyages.

■

Ecrivez un paragraphe dans lequel vous emploierez quatre de ces expressions.

Le dialogue: les reprises de termes

Relevez les mots, expressions ou même phrases entières utilisés par un des deux personnages et repris par l'autre dans sa réponse, pour souligner, préciser la pensée du premier, l'approuver ou au contraire le contredire.

> **EXEMPLES:**
> «... je n'avais de disposition particulière pour aucun *métier,* ni pour une *existence* quelconque.»
>
> «Vous n'aviez que des répugnances, alors, pour toutes les *existences* et pour tous les *métiers?*»

Dans une conversation sur les métiers, vous exposez vos goûts à un interlocuteur. Celui-ci vous répond en reprenant les mêmes termes, pour préciser, souligner, approuver ou contredire vos paroles. Ecrivez quatre répliques de cette conversation.

Le contraste entre les deux personnages

■

Montrez que la jeune fille s'exprime par des affirmations catégoriques.

> **EXEMPLE:**
> Voir la phrase citée ci-dessus: Emploi de constructions et de termes absolus (vous *n'aviez que; toutes; tous*)

Vous énoncez en une ou deux phrases vos goûts (toujours au sujet des métiers) d'une façon catégorique (vous *détestez;* vous *aimez par dessus tout* etc.).

L'homme, au contraire, exprime surtout des doutes, des réserves, des réticences, des concessions et restrictions. Montrez-le.

> **EXEMPLE:**
> «Pas de répugances, non, ce serait trop dire, mais pas de

goûts non plus.» = restriction; il *atténue* la formule absolue
de la jeune fille parce qu'il la trouve excessive.

Ecrivez un paragraphe (6 à 8 lignes) dans lequel l'homme explique pourquoi il ne peut pas changer. Employez les formules restrictives (*on le
dit; tout au moins, sans doute, je ne prétends pas que, ce serait trop
dire*).

La référence à l'expérience commune

Les deux personnages ne se considèrent pas comme des individus uni-
ques. Au contraire, ils considèrent leur expérience, leur situation comme
banales, semblables à celles de beaucoup d'autres personnes. Ils pensent
être «comme tout le monde», et chacun (l'homme surtout, dans ce passage) veut se présenter ainsi à l'autre. Dans le style, cette attitude s'exprime par l'emploi de généralités, de tournures impersonnelles, de mots
indéfinis.

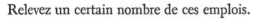

Relevez un certain nombre de ces emplois.

> **EXEMPLE:**
> J'étais *comme la plupart des gens,* en somme. Cela m'est ar-
> rivé *comme à tout le monde,* vraiment.

Dans un paragraphe, montrez un personnage qui explique qu'il a choisi
son métier (vous direz lequel) pour des raisons précises; il refuse la ba-
nalité, pense que son expérience est unique, et affirme son originalité.

TEXTE COMPLEMENTAIRE

—Vous allez voir, Mademoiselle, d'ici l'été, vous ouvrirez
cette porte pour toujours.

—Quelquefois, voyez, ça m'est un peu égal, Monsieur.

—Mais vous allez voir, vous allez voir, ça va vous arriver très
vite.

—Il me semble que vous auriez dû rester dans cette ville, Monsieur, que vous auriez dû essayer coûte que coûte.

—J'y suis resté le plus que le pouvais.

—Non, vous n'avez pas dû faire tout ce qu'il fallait pour essayer d'y rester, j'en suis sûre, voyez-vous.

—J'ai fait tout ce que je croyais qu'il fallait faire, tout, pour essayer d'y rester. Mais il se peut que je m'y sois mal pris. N'y pensez plus, Mademoiselle. Vous allez voir, vous allez voir, d'ici l'été, pour vous, ce sera fait.

—Peut-être, oui, qui sait? Mais je me demande parfois si ça en vaut la peine.

—Ça en vaut la peine. Et, comme vous le disiez, puisqu'on est là, on n'a pas demandé à l'être, mais, puisqu'on y est, il faut le faire. Et il n'y a rien d'autre à faire que ça. Et vous le ferez. Cette porte, d'ici l'été, vous l'ouvrirez.

—Parfois, je crois que je ne l'ouvrirai jamais, qu'une fois que je serai prête à le faire, je reculerai.

—Non, vous le ferez.

Marguerite Duras, *Le Square*

■

Dans ce passage, l'attitude de la jeune fille est-elle différente de celle qu'elle avait précédemment? En quoi est-elle semblable? Quel est le rôle de l'homme?

REDACTION

Deux étudiants échangent leurs idées sur leur présent et leur avenir. L'un espère réussir dans la vie. Il attend quelque chose (réussite sociale? argent? bonheur? liberté?) Par quels moyens peut-il l'obtenir? Il le veut de toutes ses forces et il a de l'espoir. L'autre ne considère pas les études comme un moyen d'obtenir des diplômes et une position sociale. Il n'a pas l'intention de se faire une place dans la société. Il explique pourquoi.

Comme dans le texte de M. Duras, utilisez la forme du dialogue.

Josèphe: Tu n'as jamais
eu envie d'une bicyclette,

dis, toi,
au moins, mon chéri?

Jacques Borel

Tata

Tata ou *De l'Education*, «pièce morale et didactique», est une satire burlesque des femmes trop protectrices qui veulent préserver les enfants des «réalités de la vie» et les isolent du monde extérieur. Charles, qui a presque dix-huit ans, est élevé comme un bébé par sa mère, Josèphe, et sa tante, Albine, vieille fille de soixante ans très refoulée. Ils vivent complètement isolés dans une maison ou personne ne vient et d'où Charles ne sort jamais. Albine, qui domine entièrement Josèphe, est la principale responsable de l'étrange éducation de Charles. («Tata» est le terme familier utilisé par les jeunes enfants pour appeler leur tante).

Dans la scène qui suit, les deux femmes sont en train de soigner un bouton sur le visage de Charles.

CHARLES

OH non, pas de mercurochrome, pas de mercurochrome! On dirait du sang.[1]

ALBINE

Mais non, bien sûr, il n'aura pas de mercurochrome, le chéri.

[1] le mercurochrome est de couleur rouge. On l'utilise très souvent en France pour stériliser les égratignures et les blessures superficielles, en particulier pour les enfants quand ils tombent.

On ne veut pas qu'il ait l'air d'un pauvre blessé, ou d'un de ces
5   affreux gamins qui tombent tout le temps et se font mal, parce
qu'ils ont de méchantes mamans qui ne s'occupent pas assez
d'eux et qui leur laissent faire des tas d'imprudences: qui les
laissent courir, qui les laissent jouer dans le jardin, qui leur laissent faire de la bicyclette. Ça² n'a que deux roues, ça ne tient
10   pas en équilibre tout seul,³ et elles voudraient que ça tienne
mieux,⁴ les sans-cervelle,⁵ avec un malheureux enfant dessus!⁶

JOSÈPHE

Tu n'as jamais eu envie d'une bicyclette, dis, toi, au moins,
mon chéri?

CHARLES

Oh! non, Maman. J'aurais trop peur. Je tomberais.

ALBINE

15   Et il y a des folles qui laissent leurs enfants monter aux arbres.
Pauvres petits abandonnés, va! Ah, il y a des femmes, il vaudrait
mieux qu'elles n'aient pas d'enfants, tiens! On devrait interdire
à ces femmes-là d'en avoir. Il y en a,⁷ elles se prélassent toute la
journée sur la plage, elles prennent des bains de soleil, dans
20   quelle tenue!⁸ c'est une honte; elles ne s'occupent pas plus de
leurs enfants que s'ils n'étaient pas là, une vague arrive et, crac,
voilà l'enfant noyé, la mère ne s'en est même pas aperçue, peut-

---

² *Ça*: familier pour *cela* (ie: une bicyclette)

³ *tout seul*: c'est-à-dire, quand personne n'est sur la bicyclette.

⁴ *elles voudraient que ça tienne mieux*: elles pensent, elles croient qu'une bicyclette
tiendra mieux (en équilibre)

⁵ *les sans-cervelle*: familier; un/une sans-cervelle est une personne étourdie et négli-
gente, qui ne réfléchit pas (on dit aussi *un écervelé*)

⁶ *dessus* ie: sur la bicyclette

⁷ *il y en a*: il y a des femmes

⁸ *tenue*: manière de s'habiller; en général péjoratif (en particulier dans l'expression
«Quelle tenue!»)

être ne le remarque-t-elle même pas [9] le soir quand elle rentre chez elle. Et les gendarmes ne lui disent rien. Elle va, elle vient. Elle peut même avoir d'autres enfants. On ne guillotine presque plus personne aujourd'hui.[10] On voit des gens qui ont des trois,[11] des quatre, des cinq enfants, et même plus. Ils les envoient à l'école, où les camarades les brutalisent, leur apprennent des vilains mots.[12] Ils jouent au ballon, à chat perché: ils se cassent un bras, une jambe. Comme si c'était comme ça qu'on fait des hommes.[13] De malheureux petits invalides,[14] oui! Mon pauvre chéri, va. Quand je pense qu'il y avait encore du gravier dans les allées du jardin, quand tu es né. Nous y avons pensé tout de suite, Maman et moi, et on a fait mettre du sable partout. Combien de tonnes, Josèphe?

25

30

35

JOSÈPHE

Je ne sais plus, dix tonnes, je crois.

ALBINE

On se serait cru [15] au bord de la mer. Mais au moins, ici, pas de mer, pas de bassin. Pas de risque de se noyer. Et puis, on t'a toujours tenu par la main, quand tu descendais dans le jardin. Comme ça,[16] pas de cheville foulée, pas d'épaule démise. Oh!

40

[9] *peut-être ne le remarque-t-elle même pas:* notez l'inversion du sujet après «peut-être» (cette inversion *n'est pas* une forme interrogative). L'inversion après *peut-être* est obligatoire quand ce mot commence la phrase, ou la proposition. On peut éviter l'inversion (qui est du style littéraire) en plaçant *peut-être* après le verbe («elle ne le remarque peut-être même pas»).

[10] *aujourd'hui:* ici, "these days," "nowadays"

[11] *des trois:* emploi familier de l'article indéfini pluriel devant un nombre, pour insister sur l'importance de ce nombre ("as many as three, four....")

[12] *des vilains mots:* "bad words"; *vilain* appartient au vocabulaire des petits enfants, ou des adultes quand ils parlent à un enfant.

[13] *Comme si c'était comme ça qu'on fait des hommes:* littéralement: "As if this was the way to make men" ("Is this any way to make boys into men?")

[14] *de malheureux petits invalides* ie: de cette façon, on ne fait pas des hommes, mais de malheureux petits invalides.

[15] *on se serait cru:* on aurait pu croire qu'on était

[16] *comme ça:* ainsi, de cette façon

ces femmes, ces femmes! Ces mères indignes! Je ne sais pas ce que je leur ferais, tiens!

CHARLES

Arrête, Tata, arrête, dis! C'est trop affreux. Je crois que je tomberais, maintenant, si je me levais.

JOSÈPHE

45   Mais non, mon bêta,[17] mais non, voyons! Tu sais bien qu'il y a Tata et Maman qui sont là, et [18] qui ne te laisseraient pas tomber. Est-ce qu'il t'est déjà arrivé quelque chose avec elles, dis-moi?

Tata ou De l'Education, 1967

QUESTIONS

1. Pourquoi Charles a-t-il peur du mercurochrome?
2. A qui ressemblerait Charles si on lui mettait du mercurochrome?
3. D'après Albine, pourquoi est-ce que certains enfants «tombent tout le temps et se font mal»?
4. D'après Albine, pourquoi est-il dangereux de monter sur une bicyclette? Que pensez-vous de son raisonnement?
5. Pourquoi Charles n'a-t-il jamais eu envie d'une bicyclette?
6. A quelles femmes, selon Albine, devrait-on interdire d'avoir des enfants?
7. Que font certaines mères sur la plage? A votre avis, pourquoi Albine les critique-t-elle si sévèrement? Critique-t-elle seulement leur négligence?
8. Résumez les arguments d'Albine contre l'école. Appréciez ces arguments.
9. Pourquoi Albine dit-elle: «On ne guillotine presque plus personne aujourd'hui»? Quel rapport y a-t-il entre cette remarque et celles qui précèdent et qui suivent?
10. Qu'y avait-il dans les allées du jardin quand Charles est né?
11. Qu'ont fait mettre Albine et Josèphe? Pourquoi?

---

[17] *bêta:* (nom ou adjectif) mot familier formé sur «bête» (ie: «stupide») mais beaucoup moins péjoratif et s'appliquant surtout aux enfants.

[18] *là:* ici (dans le langage familier, *là* est très souvent employé au lieu de *ici*)

12. Quels accidents Albine redoute-t-elle particulièrement pour Charles? Montrez l'influence de cette obsession d'Albine sur Charles lui-même.

GRAMMAIRE

Constructions partitives

- (En anglais: *some* à la forme affirmative, *any* à la forme interrogative, exprimés ou sous-entendus)

De + article défini + nom

EXEMPLE:
Il aura du mercurochrome

- EXCEPTIONS: On emploi **de** sans article:
1. après une négation

EXEMPLE:
«il n'aura *pas de* mercurochrome»

2. après une expression de quantité

EXEMPLE:
il aura *un peu de* mercurochrome

3. devant un adjectif précédant un nom pluriel

EXEMPLE:
«ils ont *de* méchantes mamans»

- NOTE: cette troisième exception concerne surtout le style écrit. Dans la conversation, la règle n'est pas toujours respectée.

- Le pronom partitif est *en*

EXEMPLES:
il aura du mercurochrome
= il *en* aura
il n'aura pas de mercurochrome
= il n'*en* aura pas

Relevez les *de* partitifs dans le texte et justifiez leur emploi.

EXEMPLE:
«il n'aura pas de mercurochrome»: *de* est employé seul, sans article défini, parce qu'il est après une négation.

Complétez les phrases suivantes avec le partitif:

1. Vous faites _____ imprudences.
2. On a mis _____ gravier dans les allées;
3. Elle a _____ enfants.
4. Il a toujours _____ accidents.
5. Il y a _____ eau dans le bassin.

Mettez les phrases précédentes à la forme négative.

Expressions de quantité: trouvez vous-même cinq phrases avec les expressions de quantité suivantes: assez de; des tas de; des quantités de; trop de; beaucoup de; des douzaines de.

> **EXEMPLE:**
> Des quantités de femmes ne sont même pas guillotinées.

Exercices généraux sur les partitifs

Employez les partitifs qui conviennent dans les phrases suivantes

1. On leur a apporté _____ sable
2. Elle a une douzaine _____ enfants.
3. Tu ne prendras jamais _____ bains de soleil.
4. Ces femmes ont _____ enfants invalides.
5. _____ affreux gamins font de la bicyclette.
6. Non, nous n'avons pas vu _____ gendarmes.
7. Il y avait _____ eau dans le bassin.
8. Mais maintenant, il n'y _____ a plus.
9. Elles connaissent _____ mères indignes.
10. On rencontre _____ malheureux enfants qui font de la bicyclette.

Complétez les phrases suivantes avec l'article défini ou indéfini, puis remplacez les mots soulignés par un pronom:

> **EXEMPLES:**
> Je connais _____ femmes qui n'aiment pas les enfants
> = Je connais *des* femmes ... j'*en* connais
>
> Je ne comprends pas _____ femmes qui n'aiment pas les enfants
> = Je ne comprends pas *les* femmes ... (article défini)
> Je ne *les* comprends pas (pronom personnel objet direct)

1. Il y a _____ *mères* qui ne s'occupent pas de leurs enfants.
2. Elle critique _____ *mères* qui ne s'occupent pas de leurs enfants.
3. Quand les enfants sont seuls ils font _____ *imprudences.*
4. Elle imagine _____ *imprudences* que les enfants ont faites.
5. Il y a _____ *sable* partout dans le jardin.
6. Les enfants aiment _____ *sable du jardin.*
7. Il ne connaît pas _____ *parents de ses camarades.*
8. Il ne connaît pas _____ *parents* plus attentifs que les siens.
9. Nous aimons _____ *bains de soleil.*
10. Nous prenons _____ *bains de soleil en* été.

Le Conditionnel

● Le plus souvent, le conditionnel est utilisé dans une *principale* dont la *subordonnée* est introduite par *si* (*if*). **Si** *n'est jamais suivi du conditionnel.* Si est suivi de l'imparfait quand on parle au présent, et du plus que parfait quand on parle au passé; avec **si + imparfait,** on emploie le **conditionnel présent** dans la principale; avec **si + plus que parfait** on emploie le **conditionnel passé** dans la principale.

Relevez les conditionnels du texte, ainsi qui les subordonnées introduites par si.

Dans les phrases suivantes, mettez le verbe de la principale au conditionnel présent.

1. Si vous étiez une mauvaise mère, vous (avoir) un jardin plein de bassins et de graviers.
2. S'il pouvait tenir en équilibre sur deux roues, il (faire) de la bicyclette.
3. Si nous étions riches, nous (se prélasser) toute la journée sur la plage, et nos enfants (se noyer).
4. Si c'était permis, ils (jouer) au ballon.
5. Si Charles allait à l'école, il (apprendre) des vilains mots.

Employez le temps qui convient après *si:*

1. Charles tomberait s'il (faire) de la bicyclette et s'il (monter) aux arbres.
2. Tous ces enfants ne (se noyer) pas si leurs mères s'occupaient d'eux.

3. Si on (interdire) aux mères sans cervelle d'avoir des enfants, il y aurait moins de petits invalides.

4. Si on (envoyer) Charles à l'école, il se casserait un bras.

5. Il t'arriverait quelque chose si on ne te (tenir) pas la main.

Mettez les phrases des deux exercices précédents au conditionnel passé. Employez le temps qui convient après *si*.

Complétez le texte suivant en mettant les verbes aux temps et aux modes qui conviennent:

Regardez! Que d'eau, que de bassins, que de sable dans ce jardin! On se (croire) au bord de la mer. Et des arbres! et des bicyclettes au pied des arbres! et des ballons près des bicyclettes! Heureusement, vous n'avez pas d'enfants; si vous en (avoir) ils (faire) de la bicyclette, ils ne (tenir) pas en équilibre, et crac, ils (tomber); ils (grimper) aux arbres et ils (tomber) encore, peut-être même dans le bassin, et ils se (noyer). Ils (jouer) au ballon, ils (se casser) les bras, les jambes, ils (se fouler) la cheville; vous (être) responsable ... Ah, vous avez des enfants? Vous ne l'aviez pas dit; mais alors où sont-ils? dans le jardin? dans le bassin? Vous êtes une mère indigne, si je (savoir) que vous aviez des enfants je (agir) plus tôt, je (appeler) les gendarmes. Madame, on (devoir) vous guillotiner.

Les pronoms personnels de la troisième personne

● *Objets directs:* le / la / les. S'emploient avec un verbe qui prend un complément d'objet direct.

> EXEMPLE:
> «les camarades *les* brutalisent» (*les*, pronom objet direct)

● *Objets indirects:* lui / leur (mêmes formes pour le féminin). S'emploient avec un verbe qui prend un complément d'objet indirect.

> EXEMPLE:
> «Ils *leur* apprennent des vilains mots» (*leur*: pronom objet indirect)

● *Disjonctifs:* lui / elle / eux / elles. S'emploient après une préposition.

> EXEMPLE:
> «ils ont de méchantes mamans qui ne s'occupent pas assez d'*eux*»

(sur les disjonctifs, voir aussi ci-dessous, le pronom personnel *en*, et chapitre 12, p. 196)

Le pronom personnel en

- On utilise ce pronom avec un verbe qui prend la préposition *de* devant le complément, mais seulement quand ce complément n'*est pas une personne*

    EXEMPLE:
    il s'occupe *de* sa bicyclette = il s'*en* occupe

- Quand le complément est une *personne*, on utilise le *disjonctif*.
    EXEMPLE:
    il s'occupe *de* son fils = il s'occupe de *lui*

■

Relevez dans le texte les pronoms personnels de la troisième personne.

Dites s'ils sont objet direct, objet indirect ou disjonctifs. Distinguez aussi les *en* partitifs des autres.

Remplacez les mots soulignés par un pronom objet direct ou indirect:

1. Les mères indignes n'interdisent rien *à leurs enfants*.
2. Elles laissent *leurs enfants* monter aux arbres.
3. Tu apprendras *à Charles* à faire de la bicyclette.
4. Envoyez *les mauvaises mères* à la guillotine
5. Dis à ta mère qu'il faut ôter *ce dangereux gravier* de ce jardin.

Remplacez les mots soulignés par un pronom objet indirect ou un pronom disjonctif.

1. Dis-le *à ta mère*.
2. Ne laissez pas vos enfants avec *ces femmes-là*.
3. Elles devraient s'occuper de *ces petits malheureux*.
4. Maman et Tata sont avec *Charles*.
5. Je ne sais pas ce que je ferais *à ces mères*.

Dans les phrases suivantes, remplacez les mots soulignés soit par le pronom *en* soit par le disjonctif:

1. Qu'est-ce que vous pensez *de cette histoire?*
2. Elle parle toujours *des risques d'accident*.
3. Il a besoin *de sa mère*.
4. Elle ne se servira pas *de mercurochrome*.
5. Elles devraient avoir peur *des gendarmes*.

Exercice général sur les pronoms de la troisième personne

Complétez le texte suivant avec des pronoms:

Si Charles allait à l'école avec les affreux gamins, il jouerait avec _____, il serait exactement comme _____: il _____ apprendrait de vilains mots, il _____ brutaliserait, il _____ ferait mal, il _____ écraserait avec sa bicyclette et _____ noierait dans le bassin. Mais comme il ne va pas à l'école, il ne pense pas trop à _____; a-t-il envie d'une bicyclette? Non, il ne _____ veut pas. Il ne risque pas de se faire mal; sa Tata s'occupe bien de _____, il est heureux avec _____.

VOCABULAIRE ET STYLE

VOCABULAIRE

Vocabulaire des jeux et des sports

- En général, le verbe est *jouer à* pour un *jeu*, et *faire de* pour un *sport*

  EXEMPLES:
  «ils *jouent au* ballon, *à* chat perché»
  «. . . des mamans . . . qui leur laissent *faire de la* bicyclette»

- Quand le jeu est en même temps un sport, on peut utiliser les deux verbes.

  EXEMPLES:
  jouer au tennis ou *faire du* tennis
  jouer au football ou *faire du* football

- Mais dans ce cas, *faire de* a un sens plus général.

  EXEMPLES:
  Il *fait du* tennis depuis dix ans
  Il *joue au* tennis depuis une heure

- Notez aussi l'expression: *faire une partie de* (tennis, football, cartes etc.) = to *play a game* (of tennis, football, cards etc.)

Ecrivez deux phrases dans lesquelles vous emploierez les verbes *jouer à* et *faire de*.

Complétez le texte suivant avec le verbe et la préposition qui conviennent:
Les enfants ne devraient pas _____ _____ des jeux violents.
C'est trop dangereux. Quand ils _____ _____ football, ils se
donnent des coups de pied; quand ils _____ _____ baseball ils
se tapent sur la tête; il est tout aussi dangereux de _____ _____
tennis, puisqu'on reçoit la balle dans l'œil, ou de _____ _____
de la natation: on se noie; ou de _____ _____ la bicyclette: on
tombe par terre, on se casse une jambe. Il y a aussi des fous qui _____
_____ patin à glace, et ceux qui _____ _____ patin à rou-
lettes. Les plus fous montent sur des planches, ils appellent cela
_____ _____ ski. Il vaut beaucoup mieux rester chez soi, où
on peut gentiment _____ _____ cartes, _____ dames ou
_____ échecs.

Les dangers des jeux et des sports; vocabulaire des accidents

«*faire mal à* quelqu'un» (to hurt someone); «*se faire mal*» (to hurt oneself)

se faire mal à + partie du corps: se fair mal au pied, à la main, au dos
etc.

se noyer; se casser (*un bras, une jambe*); *se fouler la cheville; se démettre
l'épaule*

Faites une phrase avec chacune des expressions ci-dessus; employez le
vocabulaire de jeux et des sports.

> **EXEMPLE:**
> comme il ne savait pas bien nager, *il s'est noyé.*

Mots familiers

Donnez l'équivalent non familier de mots suivants: *gamin, des tas de;
ça; tout le temps; bêta.*

STYLE

Langage parlé familier

Tout ce passage est typique du langage parlé familier par le vocabulaire, les tournures idiomatiques, la construction des phrases.

Les interjections et exclamations

• Dans la conversation familière, on utilise beaucoup d'interjections pour *renforcer* une déclaration ou pour ajouter une nuance. Ces interjections sont souvent des *verbes à l'impératif,* mais ces impératifs n'expriment pas des ordres, et leur sens est le plus souvent très différent du sens habituel du verbe.

> **EXEMPLE:**
> «Mais non mon bêta, mais non, *voyons»* (le sens littéral de «voyons» est "let's see", mais le sens réel ici est "Come on," "Be reasonable" etc.)

Relevez tous les impératifs du texte (il y en a 9; certains sont répétés deux fois). Dites lesquels sont de vrais impératifs (exprimant un ordre, une demande) et lesquels sont des interjections.

Relevez les autres mots exclamatifs du texte. Notez en particulier les emplois de *«oui»* et de *«non».* Indiquez dans quelle phrase un de ces mots est employé comme une interjection et non dans son sens habituel.

Tournures idiomatiques familières; clichés de la conversation

Les expressions suivantes sont idiomatiques et sont des clichés du langage parlé:

C'est une honte
Comme si c'était comme ça que . . .
Quand je pense que . . .
Je ne sais pas ce que je (leur) ferais

• Sens de ces expressions: *c'est une honte:* it's a disgrace. *Comme si c'était comme ça que* . . . (voir note du texte); on utilise cette expression pour critiquer les méthodes utilisées pour obtenir un certain résultat (dans le texte, ce résultat est «faire des hommes»).

• *Quand je pense que* ...: expression *très courante* utilisée pour évoquer un fait qui donne à la personne qui parle un sentiment de regret, de colère, d'indignation, de crainte rétrospective etc. (dans le texte, ce fait est qu'il y avait du gravier dans le jardin quand Charles est né, ce qui était dangereux)

• *Je ne sais pas ce que je ferais* (avec ou sans pronom indirect selon le contexte): par cette expression, la personne qui parle suggère qu'elle voudrait punir sévèrement les coupables qu'elle critique, et qu'elle ne peut imaginer de punition assez sévère.

Quel est le point commun entre toutes ces expressions, du point de vue du sens et des sentiments de la personne qui les utilise?

Utilisez chacune de ces quatre expressions dans un exemple.

Constructions emphatiques familières

Rejet du sujet à la fin de la phrase

EXEMPLE:

«... il n'aura pas de mercurochrome, *le chéri*» (ordre des mots normal: le chéri n'aura pas de mercurochrome)

• Cette construction est extrêmement repandue en langage parlé familier. (Notez ici de plus un autre procédé du langage familier: l'emploi de la troisième personne pour s'adresser à son interlocuteur. Ce procédé est presque uniquement utilisé pour parler aux jeunes enfants avec affection).

Trouvez deux autres exemples de ce rejet du sujet dans le texte.

Mettez-les à la forme normale, non emphatique.

Emploi de «il y a»

EXEMPLES:

«Et *il y a* des folles *qui* laissent leurs enfants monter aux arbres» (forme emphatique correcte)

«Ah *il y a* des femmes, il vaudrait mieux qu'*elles* n'aient pas d'enfants» (construction emphatique incorrecte mais courante dans la langue parlée)

«*Il y en a, elle* se prélassent . . .» (idem)
les deux derrières phrases sont incorrectes parce qu'elles répètent le sujet «*elles*» qui a déjà été exprimé, par «*des* femmes» (phrase 2) et «*en*» (phrase 3).

■

Modifiez la phrase 2 et la phrase 3 de façon que la forme emphatique avec *il y a* soit correcte.

Utilisez les trois formes emphatiques avec *il y a* tirées du texte pour décrire chacun des groupes suivants:
—les mères qui ne s'occupent pas de leurs enfants.
—les enfants qui ne pensent qu'à s'amuser.
—les gens qui font continuellement des imprudences.

Les procédés comiques; l'exagération

Le comique de ce passage est presque entièrement fondé sur les *exagérations* d'Albine. On peut distinguer plusieurs procédés pour obtenir ce comique.

Contraste entre une activité, un fait normal (par exemple, jeu d'enfants) ***et les conséquences graves ou tragiques imaginées*** par Albine

EXEMPLE:
«Ils jouent du ballon, à chat perché: ils se cassent un bras, une jambe.»

■

Trouvez un autre exemple de ce procédé dans le texte.
Dans le même style, imaginez les remarques d'Albine sur les dangers de
—prendre des bains de soleil
—jouer au tennis
—manger des fruits
—écouter du Rock and Roll
—regarder la télévision

Passage d'une possibilité à une impossibilité absurde

EXEMPLES:
«. . . une vague arrive et crac voilà l'enfant noyé» (accident rare mais possible)

«la mère ne s'en est même pas aperçue, peut-être ne le remarque-t-elle même pas le soir quand elle rentre chez elle...»
(impossibilité absurde)

Imaginez un exemple contenant un passage semblable du possible à l'impossible.

Contraste entre un fait normal et l'appréciation portée sur ce fait

EXEMPLE:
«Et il y a des folles qui laissent monter leurs enfants aux arbres. Pauvres petits abandonnés, va! (un enfant n'est pas
«abandonné» parce qu'on le laisse monter aux arbres!)

Trouvez un autre exemple de ce procédé dans le texte.

Dans le même style, comment Albine pourrait-elle caractériser:
—un enfant que ses parents ont envoyé dans un camp de vacances.
—un enfant qu'on a gardé à l'école après la classe pour le punir.
—un enfant à qui ses parents ont laissé boire un verre de bière.
—un enfant à qui sa mère a donné une gifle.
—un enfant qui doit porter des lunettes.

Raisonnements absurdes

EXEMPLE:
les dangers de la bicyclette selon Albine («Ça n'a que deux
roues» etc.) Albine pense qu'une bicyclette ne peut pas
tenir en équilibre quand un enfant est dessus parce que la bicyclette ne tient pas en équilibre toute seule. Ce raisonnement est absurde, puisqu'une bicyclette ne peut tenir en équilibre que quand quelqu'un est dessus.

Inventez un raisonnement absurde du même genre, par exemple sur le
danger de prendre l'avion.

TEXTE COMPLEMENTAIRE

Quand il lui arrivait de sortir avec l'un d'eux,[1] d'emmener l'un d'eux «promener» il serrait fort, en traversant la rue, la petite main dans sa main chaude, prenante, se retenant pour ne pas écraser les minuscules doigts pendant qu'il traversait en regardant avec une infinie prudence, à gauche et puis à droite, pour s'assurer qu'ils avaient le temps de passer, pour bien voir si une auto ne venait pas, pour que son petit trésor, son petit enfant chéri, cette petite chose vivante et tendre et confiante dont il avait la responsabilité, ne fût pas écrasée.

Et il lui apprenait, en traversant, à attendre longtemps, à faire bien attention, attention, attention, surtout très attention en traversant les rues sur le passage clouté,[2] car «il faut si peu de chose, car une seconde d'inattention suffit pour qu'il arrive un accident».

Nathalie Sarraute, *Tropismes*

Comparaison entre les deux textes: quel est le *thème commun* aux deux passages? quelles sont les ressemblances et les différences entre le personnage d'Albine et celui du grand-père ici? Ce passage est-il comique comme le précédent? Précisez la part de l'exagération ici. Y a-t-il des points communs dans le vocabulaire et le style?

REDACTION

Les conseils d'une mère très protectrice à son fils ou à sa fille qui va pour la première fois en vacances seul, ou qui entre à l'université.

[1] Il s'agit d'un grand-père et de ses petits enfants.
[2] passage clouté: "pedestrians' crossing" ce passage est délimité par de gros «clous» de métal enfoncés dans le sol, d'où le terme «passage clouté»

... ceux-ci tout à coup battent
des ailes et s'envolent, ...

Alain Robbe-Grillet

La Plage

TROIS enfants marchent le long d'une grève. Ils s'avancent, côte à côte, se tenant par la main. Ils ont sensiblement la même taille, et sans doute aussi le même âge: une douzaine d'années. Celui du milieu, cependant, est un peu plus petit que les deux autres. 5

Hormis ces trois enfants, toute la longue plage est déserte. C'est une bande de sable assez large, uniforme, dépourvue de roches isolées comme de trous d'eau, à peine inclinée entre la falaise abrupte, qui paraît sans issue, et la mer.

Il fait très beau. Le soleil éclaire le sable jaune d'une lumière 10 violente, verticale. Il n'y a pas un nuage dans le ciel. Il n'y a pas, non plus, de vent. L'eau est bleue, calme, sans la moindre ondulation venant du large, bien que la plage soit ouverte sur la mer libre, jusqu'à l'horizon.

Mais à intervalles réguliers, une vague soudaine, toujours la 15 même, née à quelques mètres du bord, s'enfle brusquement et déferle aussitôt, toujours sur la même ligne.

Et tout reste de nouveau immobile la mer, plate et bleue, exactement arrêtée à la même hauteur sur le sable jaune de la plage, où marchent côte à côte les trois enfants.

Ils sont blonds, presque de la même couleur que le sable: la peau un peu plus foncée, les cheveux un peu plus clairs. Ils sont habillés tous les trois de la même façon, culotte courte et chemisette, l'une et l'autre en grosse toile d'un bleu délavé. Ils marchent côte à côte, se tenant par la main, en ligne droite, parallèlement à la mer et parallèlement à falaise, presque à égale distance des deux, un peu plus près de l'eau pourtant. Le soleil, au zénith, ne laisse pas d'ombre à leur pied.

Devant eux le sable est tout à fait vierge, jaune et lisse depuis le rocher jusqu'à l'eau. Les enfants s'avancent en ligne droite, à une vitesse régulière, sans faire le plus petit crochet, calmes et se tenant par la main. Derrière eux le sable, à peine humide, est marqué des trois lignes d'empreintes laissées par leurs pieds nus, trois successions régulières d'empreintes semblables et pareillement espacées, bien creuses, sans bavures.

Les enfants regardent droit devant eux. Ils n'ont pas un coup d'œil vers la haute falaise, sur leur gauche, ni vers la mer dont les petites vagues éclatent périodiquement, sur l'autre côté. A plus forte raison ne se retournent-ils pas, pour contempler derrière eux la distance parcourue. Ils poursuivent leur chemin, d'un pas égal et rapide.

Devant eux, une troupe d'oiseaux de mer arpente le rivage, juste à la limite des vagues. Ils progressent parallèlement à la marche des enfants, dans le même sens que ceux-ci, à une centaine de mètres environ. Mais, comme les oiseaux vont beaucoup moins vite, les enfants se rapprochent d'eux. Et tandis que la mer efface au fur et à mesure les traces des pattes étoilées, les pas des enfants demeurent inscrits avec netteté dans le sable à peine humide, où les trois lignes d'empreintes continuent de s'allonger.

La profondeur de ces empreintes est constante: à peu près 50
deux centimètres.

Leur triple ligne ainsi se développe, toujours plus loin, et
semble en même temps s'amenuiser, se ralentir, se fondre en un
seul trait, qui sépare la grève en deux bandes, sur toute sa longueur, et qui se termine à un menu mouvement mécanique, 55
là-bas, exécuté comme sur place: la descente et la remontée
alternative de six pieds nus.

Cependant à mesure que les pieds nus s'éloignent, ils se rapprochent des oiseaux. Non seulement ils gagnent rapidement du
terrain, mais la distance relative qui sépare les deux groupes 60
diminue encore beaucoup plus vite, comparée au chemin déjà
parcouru. Il n'y a bientôt plus que quelques pas entre eux. . .

Mais, lorsque les enfants paraissent enfin sur le point d'at-
teindre les oiseaux, ceux-ci tout à coup battent des ailes et s'envolent, l'un d'abord, puis deux, puis dix. . . Et toute la troupe, 65
blanche et grise, décrit une courbe au-dessus de la mer pour venir
se reposer sur le sable et se remettre à l'arpenter, toujours dans le
même sens, juste à la limite des vagues, à une centaine de mètres
environ.

A cette distance, les mouvements de l'eau sont quasi imper- 70
ceptibles, si ce n'est par un changement soudain de couleur,
toutes les dix secondes, au moment où l'écume éclatante brille
au soleil.

Sans s'occuper des traces qu'ils continuent de découper, avec
précision, dans le sable vierge, ni des petites vagues sur leur 75
droite, ni des oiseaux, tantôt volant, tantôt marchant, qui les
précèdent, les trois enfants blonds s'avancent côte à côte, d'un
pas égal et rapide, se tenant par la main.

Leurs trois visages hâlés, plus foncés que les cheveux, se res-
semblent. L'expression en est la même: sérieuse, réfléchie, pré- 80
occupée peut-être. Leurs traits aussi sont identiques, bien que,
visiblement, deux de ces enfants soient des garçons et le troisième

une fille. Les cheveux de la fille sont seulement un peu plus
longs, un peu plus bouclés, et ses membres à peine un peu plus
85 graciles. Mais le costume est tout à fait le même: culotte courte
et chemisette, l'une et l'autre en grosse toile d'un bleu délavé.

La fille se trouve à l'extrême droite, du côté de la mer. A sa
gauche, marche celui des deux garçons qui est légèrement plus
petit. L'autre garçon, le plus proche de la falaise, a la même
90 taille que la fille.

Devant eux s'étend le sable jaune et uni, à perte de vue. Sur
leur gauche se dresse la paroi de pierre brune, presque verticale,
où aucune issue n'apparaît. Sur leur droite, immobile et bleue
depuis l'horizon, la surface plate de l'eau est bordée d'un ourlet
95 subit, qui éclate aussitôt pour se répandre en mousse blanche.

Instantanés, 1962

QUESTIONS

1. Combien y a-t-il d'enfants? quel âge ont-ils?
2. Ont-ils tous la même taille?
3. Y a-t-il d'autres personnes sur la plage?
4. Décrivez l'apparence physique des enfants.
   Qu'est-ce qui distingue la fille des deux garçons?
5. Quel temps fait-il? la mer est-elle agitée?
6. Quelle impression la falaise donne-t-elle?
7. Comment les enfants sont-ils habillés?
8. Pourquoi n'y a-t-il pas d'ombre au pied des enfants?
9. Décrivez la marche des enfants.
10. Pourquoi la mer efface-t-elle les traces des pattes des oiseaux et
    non les traces des pas des enfants?
11. Que font les oiseaux quand les enfants arrivent près d'eux?
12. Trouvez dans le texte un adjectif qui peut s'appliquer à la fois à:
    la plage, la falaise, la mer, la marche des enfants. Quel(s) autre(s)
    adjectif(s) pourrai(en)t aussi s'appliquer à tous ces éléments?

GRAMMAIRE

Comparatifs et superlatifs

Comparatifs

de supériorité: *plus . . . que*
d'infériorité: *moins . . . que*
d'égalité: *aussi . . . que*

EXEMPLE:

«Celui du milieu, cependant, est un peu *plus* petit *que* les deux autres.»

• Parfois, la deuxième partie de la comparaison n'est pas exprimée (lorsqu'il n'y a aucune ambiguïté).

EXEMPLE:

«Comme les oiseaux vont beaucoup *moins* vite, les enfants se rapprochent d'eux.» (sous-entendu: vont beaucoup *moins* vite *que* les enfants)

Relevez dans le texte tous les comparatifs et leurs compléments. Si le complément n'est pas exprimé, notez ce qui est sous-entendu (comme dans l'exemple précédent).

COMMENT MODIFIER UN COMPARATIF:

• on peut *l'atténuer* en le faisant précéder d'adverbes comme *un peu, à peine, légèrement*, etc.

• on peut le *renforcer* en le faisant précéder d'adverbes comme *beaucoup, encore*, etc.

EXEMPLES:

«*un peu* plus vite que les deux autres»

«*beaucoup* moins vite»

Dans la liste des comparatifs du texte relevés dans l'exercice précédent, soulignez ceux qui sont ainsi modifiés.

Employez des comparatifs, modifiés ou non, dans le phrases suivantes:

EXEMPLE:

la première plage est immense; la suivante est toute petite.
= la première plage est *beaucoup plus grande que* la suivante.

1. Les enfants marchent vite;
les oiseaux vont lentement.

2. Le ciel est bleu;
la mer est encore plus bleue.

3. La fillette est grande;
son frère a la même taille.

4. Les enfants marchent près de l'eau;
la falaise est loin d'eux.

5. La plage est uniforme;
la mer aussi.

Comparez les éléments suivants:

EXEMPLE:

l'aîné et le plus jeune des deux garçons
= l'aîné est un peu plus grand que le plus jeune

1. Les oiseaux et les enfants.

2. La plage et la mer.

3. La falaise et le sable.

4. L'écume et l'eau.

5. Les mouvements de l'eau et les mouvements des pieds des enfants.

DISTINCTION ENTRE LES COMPARATIFS ET LES EXPRESSIONS DE QUANTITÉ:

Comparatifs: *plus, moins, aussi* + *adj* ou *adv* + *que* . . .

Expressions de quantité: *plus de, moins de, autant de* + *nom* + *que de* + *nom*

EXEMPLE:

sur la plage, il y a *plus de* soleil *que d*'ombre

Ces expressions peuvent aussi être modifiées par un adverbe:

EXEMPLE:

il y a *beaucoup* plus de soleil que d'ombre

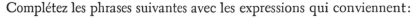

Complétez les phrases suivantes avec les expressions qui conviennent:

EXEMPLE:
sur la plage il y a (plus-soleil-ombre)
= sur la plage il y a plus de soleil que d'ombre

1. Il y a (moins-rochers sur cette plage-ailleurs)
2. Il y a (beaucoup moins-vagues sur le bord-au large)
3. Les oiseaux font (presque autant-bruit-la vague qui déferle)
4. La fillette a (un peu plus-grâce-les garçons)
5. Il y a (plus-oiseaux sur la plage-nuages dans le ciel)

Superlatifs

de supériorité: *le plus* + adjectif ou adverbe
d'infériorité: *le moins* + adjectif ou adverbe

Relevez les superlatifs du texte.

PLACE DU SUPERLATIF:

Sa place est la même que celle de l'adjectif. Si l'adjectif suit normalement le nom, le superlatif de l'adjectif se place aussi après le nom.

EXEMPLE:
une vitesse régulière = la vitesse la plus régulière

• Si l'adjectif précède le nom (petit, grand, beau, bon, mauvais, joli, long, jeune, nouveau, vieux), le superlatif peut soit précéder soit suivre le nom.

EXEMPLE:
le plus petit crochet
= le crochet le plus petit

Mettez au superlatif les adjectifs suivants (dans une phrase au superlatif, les articles indéfinis *un une des* deviennent définis: *le, la, les*):

EXEMPLE:
un petit crochet = *le* plus petit crochet

1. une plage tranquille
2. une scène immobile
3. des traces profondes
4. des empreintes creuses
5. le sable jaune
6. un mouvement imperceptible
7. une marche régulière
8. un petit oiseau
9. une mer immense
10. de beaux enfants

COMPLÉMENT DU SUPERLATIF: *du, de la, des* + nom

    EXEMPLE:
    la falaise *la plus abrupte de la* côte

Mettez les adjectifs au superlatif en leur donnant le mot entre parenthèses comme complément.

    EXEMPLES:
    une falaise abrupte (la côte)
= la falaise la plus abrupte de la côte

    abrupte (falaise)
= la plus abrupte des falaises

1. une belle plage (le monde)
2. un jeune enfant (les trois)
3. un oiseau rapide (tous)
4. tranquille (paysage)
5. un lieu désert (région)

SUPERLATIF SUIVI D'UNE PROPOSITION RELATIVE AU SUBJONCTIF.

    • Après un superlatif, une subordonnée introduite par un pronom relatif est au subjonctif.

Mettez l'adjectif au superlatif en modifiant les phrases de la façon suivante:

EXEMPLE:
J'ai vu un bel enfant
= C'est le plus bel enfant que j'aie jamais vu
ou C'est l'enfant le plus beau que j'aie jamais vu

1. J'ai parcouru une *longue* plage.
2. Ils ont rencontré une *haute* falaise.
3. J'ai marché dans le sable *fin*. (pronom relatif: *où*, ou *dans lequel*)
4. Vous pouvez imaginer une mer *plate* et *lisse*.
5. Je connais un endroit *désert*.

Comparatifs et superlatifs irréguliers

bon (adjectif)	meilleur	le meilleur
bien (adverbe)	mieux	le mieux
mauvais (adjectif)	plus mauvais pire	le plus mauvais le pire
mal (adverbe)	plus mal pis (rare)	le plus mal
beaucoup (adverbe)	plus	le plus

• NOTE: *petit*, en plus de son superlatif régulier, a un superlatif irrégulier: *le moindre* (qui correspond au superlatif anglais *the least*)

Mettez les adjectifs ou adverbes en italiques au comparatif ou au superlatif:

1. On marche *bien* sur le sable mouillé. (comparatif)
2. La *bonne* place est au pied de la falaise. (superlatif)
3. Le soleil est *mauvais* à midi. (comparatif)
4. Il chauffe *beaucoup* à midi. (comparatif)
5. Dans le silence, on entend un *petit* bruit. (superlatif)

Mettez les adjectifs au superlatif, et précisez ces superlatifs au moyen de du / de la / des ou d'une subordonnée relative au subjonctif.

EXEMPLE:
une falaise abrupte
= c'est la plus abrupte des falaises
ou c'est la falaise la plus abrupte de la côte
ou c'est la falaise la plus abrupte que je connaisse

1. un rocher isolé   4. un oiseau bruyant
2. une belle journée   5. une mer plate
3. une plage déserte

Exercice général sur les comparatifs et les superlatifs

Mettez les adjectifs entre parenthèses au comparatif ou au superlatif.

Les comparatifs peuvent être de supériorité (sup), d'infériorité (inf), ou d'égalité (egal). Vous pouvez également les modifier avec un adverbe. Avec le superlatif, pensez à la répétition de l'article défini, et au remplacement de l'article indéfini par le défini.

Cette plage (belle), (vaste) que vous puissiez imaginer, s'étend sur la côte sud de l'île. Elle est bordée d'une haute falaise abrupte, (verticale / égal) qu'un mur, (accessible / sup) vers le nord. Les oiseaux de mer y viennent, (nombreux / sup) et (bruyants / sup) quand il fait beau. Elle est (foncée / sup) que le sable, (brune / sup) en haut qu'en bas. Son ombre étroite et noire contraste d'une façon (frappante) avec le sable clair. Au moindre vent, les grains de sable sec volent. La (bonne) heure pour venir à la plage, c'est le matin. Le soleil est (supportable / sup) vers 9 heures qu'à midi, et le sable (chaud / inf) ne brûle pas les pieds. Il est (agréable / sup) de marcher sur le sable humide que sur le sable sec. Les oiseaux aussi aiment mieux arpenter la plage au bord des vagues, laissant derrière eux des traces étoilées (creuses / sup) là où le sable est (humide / sup). Au moindre bruit, ils s'envolent jusqu'au (haut) point de la falaise; là, ils jettent devant (serein) des paysages les cris (sinistres) que j'aie jamais entendus.

SANS suivi d'un verbe

sans + infinitif

EXEMPLE:

«les enfants s'avancent en ligne droite … *sans faire* le plus petit crochet.»

• Si le verbe à l'infinitif exprime une action antérieure à celle exprimée par le verbe de la principale, on emploie *l'infinitif passé.*

EXEMPLE:

Ils arrivent à l'extrémité de la plage *sans avoir fait* un crochet.

Cherchez dans le texte un autre exemple de sans + infinitif présent.

Modifiez les phrases suivantes en employant sans + infinitif (présent ou passé selon le cas) :

EXEMPLE:
il travaille et il ne parle pas
= il travaille sans parler

1. Les enfants marchent et ils ne regardent pas la falaise.
2. Les oiseaux s'envolent et ils n'ont pas laissé de traces sur le sable.
3. L'eau s'avance jusqu'à un certain point et ne monte jamais plus haut.
4. Les enfants ont parcouru toute la plage et ils ne se sont pas retournés.
5. L'auteur décrit la scène et ne dit pas où vont les enfants.

SANS QUE + *subjonctif*

• On emploie *sans que* suivi du subjonctif lorsque le sujet de la principale et celui de la subordonnée sont différents.

EXEMPLE:
il travaille et *je* ne l'aide pas (sujets différents)
= il travaille *sans que* je l'aide

• Pour marquer l'antériorité de l'action exprimée par le verbe de la subordonnée, on emploie le *subjonctif passé*.

EXEMPLE:
il travaille et je ne l'ai pas aidé
= il travaille *sans que je l'aie aidé*

Modifiez les phrases suivantes en employant *sans que* suivi du subjonctif présent ou passé:

1. Les oiseaux s'envolent et les enfants ne les ont pas remarqués.
2. Ils marchent longtemps et leur vitesse ne change pas.
3. La mer monte et personne ne s'en aperçoit.
4. Ils sont sortis et leurs parents ne l'ont pas su.
5. L'auteur décrit cette scène en détails et le lecteur ne peut pas comprendre pourquoi elle l'intéresse.

Modifiez le texte suivant en remplaçant les membres de phrase en italiques par *sans* et l'infinitif ou *sans que* et le subjonctif selon le cas:

Ils ne disent rien, ils partent de chez eux. *Ils n'hésitent pas,* ils prennent le chemin de la plage, *personne ne les voit.* Ils avancent côte à côte *et ne se retournent pas.* Devant eux, la mer s'étend. Sur leur droite se dresse la haute falaise. Ils passent *et ne la regardent pas.* Ils courent sur la plage, *et ni le soleil au zénith ni le soleil brillant n'*arrêtent leur course.

VOCABULAIRE ET STYLE

Les expressions de lieu

Il y a dans ce texte une extrême abondance d'expressions servant à *localiser*. Essayez de distinguer toutes celles qui expriment une *distance* et toutes celles qui expriment une *direction* (trouvez au moins six exemples de chaque).

EXEMPLE:
plus loin (distance); le long de (direction)

Choisissez trois exemples de chaque emploi et utilisez-les dans une phrase.

Classez toutes les expressions qui expriment une *égalité*.

Les mouvements (des enfants; des oiseaux; de l'eau)

Verbes exprimant le mouvement

Les enfants: marcher, s'avancer, poursuivre son chemin, s'éloigner, se rapprocher.

—Lesquels de ces verbes *s'opposent?*
—Quelle est la différence entre «marcher» et «poursuivre son chemin»?

Les oiseaux: arpenter, progresser, battre des ailes, s'envoler, décrire une courbe, voler, marcher, se reposer, se remettre à arpenter.

—Donnez un synonyme de «progresser».

—Quelle est la différence entre «voler» et «s'envoler»?
—Quel est le sens de «se reposer» ici?

L'eau (*la vague*): s'enfler, déferler, éclater

—De ces trois verbes, lequel s'emploie uniquement pour parler d'une vague?
—Pourquoi y a-t-il beaucoup moins de verbes de mouvements pour décrire les vagues que pour décrire les enfants et les oiseaux?

La caractérisation du mouvement

• L'auteur utilise certains mots et expressions pour préciser ou modifier l'idée de mouvement exprimée par les verbes. Par exemple, dans la description de l'eau, le vocabulaire exprime:

a) la répétition régulière du mouvement (les vagues)
b) la similitude de chaque vague
c) la soudaineté de leur apparition
d) l'alternance d'immobilité et de mouvement

«L'eau est bleue, calme, *sans la moindre ondulation* (d) ... *Mais* (d) *à intervalles réguliers* (a), une vague *soudaine* (c), *toujours la même* (b), née à quelques mètres du bord, s'enfle *brusquement* (c) et déferle *aussitôt* (c), *toujours sur la même ligne* (b) ...»

«Et tout reste *de nouveau immobile* (d), la mer *plate* (d) et bleue, *exactement arrêtée à la même hauteur* (b) sur le sable jaune de la plage ...»

«A cette distance les mouvements de l'eau sont *quasi imperceptibles* (d), si ce n'est par un *changement* (d) *soudain* (c) de couleur, *toutes les dix secondes* (a) ...»

«Sur leur droite, *immobile* (d) et bleue depuis l'horizon, la surface *plate* (d) de l'eau est *bordée d'un ourlet* (d) *subit* (c), qui éclate *aussitôt* (c) pour se répandre en mousse blanche.»

■

Etudiez de la même façon les caractéristiques des mouvements des oiseaux et des enfants.

L'art de la description

Le texte contient des descriptions de la plage, la mer, la falaise, des oiseaux, des enfants, des empreintes.

EXEMPLES (de description):
la falaise; la mer

La falaise: *haute, abrupte, paraît sans issue, paroi de pierre brune, pres-*
que verticale, où aucune issue n'apparaît.

 —Caractéristiques qui suggèrent une *forme: haute, abrupte,* paroi *pres-*
 que verticale
 —*Couleur:* pierre *brune*
 —Caractéristiques *négatives:* paraît *sans issue,* où *aucune issue* n'apparaît

La falaise est *infranchissable* (pas d'issue), donc elle *isole* (détail important pour l'atmosphère).

Sa ligne est *régulière* et *continue;* or la régularité est aussi une caractéristique des mouvements (voir plus haut).

La mer: *bleue, calme, sans la moindre ondulation venant du large, im-*
mobile, plate et bleue, exactement arrêtée à la même hauteur sur le
sable, mouvements quasi imperceptibles, écume éclatante, surface plate
de l'eau, mousse blanche.

 —Couleur: *bleue,* écume *blanche.*
 —Caractéristiques d'une *surface plate: calme, immobile.* Le mouvement existe, mais comme sur place, et il *s'annule* (*exactement ar-*
 rêtée à la même hauteur). Tout dans la description se ramène à des
 lignes: surface de la mer, limite de la mer et de la plage. Notez que
 la *falaise* se ramène aussi à des lignes (elle est *presque verticale* en
 hauteur et se prolonge en ligne droite).
 —Caractéristiques *négatives: sans la moindre ondulation venant du*
 large, immobile, mouvements quasi imperceptibles.

La description se caractérise par la régularité et l'uniformité, caractéristiques déjà observées dans l'étude du mouvement de la vague. Le mouvement, en se répétant toujours de la même façon, donne une impression
d'immobilité; ainsi, les *lignes* ne sont pas altérées.

Etudiez de la même façon la description:
 —de la plage
 —des enfants
 —des empreintes

Trouvez une phrase pour caractériser chacun des éléments suivants (utilisez des termes exprimant la forme, la couleur, l'éclairage etc.; utilisez
aussi des caractéristiques négatives).

EXEMPLE:

Un jour où il fait beau

«Il fait très beau. Le soleil éclaire le sable jaune d'une lumière violente, verticale. Il n'y a pas un nuage dans le ciel. Il n'y a pas non plus de vent.»

1. un rocher.

2. un lac.

3. un bateau qui passe au large.

4. un oiseau qui vole au-dessus de l'eau.

5. un homme qui passe sur la plage.

L'atmosphère

L'atmosphère est créée:

1. *par le sens des mots* (*déserte; uniforme* etc.; voir partie précédente)

2. *par la répétition des mêmes mots*

3. *par la structure d'ensemble:* reprise des mêmes thèmes avec les mêmes termes

   EXEMPLES:

   «Trois enfants *marchent* le long d'une grève. Ils *s'avancent côte à côte, se tenant par la main.*» (paragraphe 1)

   «...le sable jaune de la plage, où *marchent côte à côte* les trois enfants» (paragraphe 4)

   «*Ils marchent côte à côte, se tenant par la main...*» (paragraphe 5)

   «Les enfants *s'avancent* en ligne droite...calmes et *se tenant par la main.*» (paragraphe 6)

4. *par l'objectivité:* l'auteur n'exprime ni sentiment ni opinion. Il affecte une objectivité totale. (le titre du livre dont La Plage est tiré est «*Instantanés*», ie: "snapshots")

■

Trouvez des exemples de répétitions particulièrement expressives

   a) à l'intérieur d'un même paragraphe.
   b) dans l'ensemble du texte.

En employant les mêmes procédés que Robbe-Grillet, écrivez deux paragraphes qui suggèrent l'atmosphère d'un jour très chaud en ville ou à la campagne.

TEXTE COMPLEMENTAIRE

Mais brusquement, en tournant un mur, elle aperçut la mer, d'un bleu opaque et lisse, s'étendant à perte de vue.

Ils s'arrêtèrent en face de la plage, à regarder. Des voiles, blanches comme des ailes d'oiseaux, passaient au large. A droite comme à gauche, la falaise énorme se dressait. Une sorte de cap arrêtait le regard d'un côté, tandis que de l'autre, la ligne des côtes se prolongeait indéfiniment jusqu'à n'être qu'un trait insaisissable.

Un port et des maisons apparaissaient dans une de ses déchirures prochaines; et de tout petits flots qui faisaient à la mer une frange d'écume roulaient sur le galet avec un bruit léger.

Maupassant, Une Vie

■

Relevez les ressemblances et les différences de ce texte avec celui de Robbe-Grillet: a) du point de vue du contenu (décor, objets et personnages décrits; caractéristiques de ces éléments), b) du point de vue du style.

REDACTION

Faites une description en vous inspirant du style de Robbe-Grillet dans *La Plage*. Choisissez un *lieu* (à la campagne ou à la ville, à l'intérieur ou à l'extérieur). Dans ce lieu décrivez des éléments *fixes* (comme la falaise dans le texte) et des éléments *en mouvement* (comme les enfants et les oiseaux dans le texte). Montrez des *rapports* entre tous ces éléments (dans *La Plage*, un point commun entre tous les éléments est la *régularité*). Comme dans le texte, essayez de donner une impression d'uniformité et de monotonie. Utilisez le présent de l'indicatif.

La grandeur, l'étonnante
mélancolie de ce tableau

ne sauraient s'exprimer
dans les langues humaines;...

Chateaubriand

Le Génie du Christianisme

UN soir je m'étais égaré dans une forêt, à quelque distance de la cataracte du Niagara; bientôt je vis le jour s'éteindre autour de moi, et je goûtai, dans toute sa solitude, le beau spectacle d'une nuit dans les déserts du Nouveau Monde.

Une heure après le coucher du soleil la lune se montra au-dessus des arbres, à l'horizon opposé. Une brise embaumée, que cette reine des nuits amenait de l'orient avec elle, semblait la précéder dans les forêts, comme sa fraîche haleine. L'astre solitaire monta peu à peu dans le ciel: tantôt il suivait paisiblement sa course azurée, tantôt il reposait sur des groupes de nues qui ressemblaient à la cime de hautes montagnes couronnées de neige. Ces nues, ployant et déployant leurs voiles, se déroulaient en zones diaphanes de satin blanc, se dispersaient en légers flocons d'écume, ou formaient dans les cieux des bancs d'une ouate éblouissante, si doux à l'œil, qu'on croyait ressentir leur mollesse et leur élasticité.

La scène sur la terre n'était pas moins ravissante: le jour bleuâtre et velouté de la lune descendait dans les intervalles des arbres,
et poussait des gerbes de lumière jusque dans l'épaisseur des plus
20 profondes ténèbres. La rivière qui coulait à mes pieds tour à tour
se perdait dans le bois, tour à tour reparaissait brillante des [1]
constellations de la nuit, qu'elle répétait dans son sein. Dans une
savane, de l'autre côté de la rivière, la clarté de la lune dormait
sans mouvement sur les gazons; des bouleaux agités par les brises
25 et dispersés çà et là formaient des îles d'ombres flottantes sur cette
mer immobile de lumière. Auprès tout aurait été silence et repos
sans la chute de quelques feuilles, le passage d'un vent subit, le
gémissement de la hulotte; au loin, par intervalles, on entendait
les sourds mugissements de la cataracte du Niagara, qui, dans le
30 calme de la nuit, se prolongeaient de désert en désert et expiraient à travers les forêts solitaires.

La grandeur, l'étonnante mélancolie de ce tableau ne sauraient [2] s'exprimer dans les langues humaines; les plus belles nuits
en Europe ne peuvent en donner une idée. En vain dans nos
35 champs cultivés l'imagination cherche à s'étendre; elle rencontre
de toutes parts les habitations des hommes; mais dans ces régions
sauvages l'âme se plaît à s'enfoncer dans un océan de forêts, à
planer sur le gouffre des cataractes, à méditer au bord des lacs et
des fleuves, et, pour ainsi dire, à se trouver seule devant Dieu.

Le Génie du Christianisme, 1802

QUESTIONS

1. Où se trouve exactement l'auteur? A quel moment de la journée?
2. D'après le premier paragraphe, quelles sont les caractéristiques de
ce paysage?
3. Quel élément de la nature devient essentiel (ll. 5–12)?
Au moyen de quelles expressions est-il personnifié?

[1] *brillante des constellations*: rendue brillante par les constellations
[2] *ne sauraient*: ne pourraient; ne peuvent pas

4. Qu'est-ce qui précède la lune?
   A quoi Chateaubriand compare-t-il les nuages? Quelle est leur couleur?

5. Dégagez les éléments qui constituent le paysage de «la scène sur la terre».

6. Où la lumière de la lune pénètre-t-elle?

7. La rivière est-elle sombre? éclairée? Pourquoi?

8. Où sont les bouleaux? Pourquoi sont-ils agités? Quel adjectif exprime leur mouvement (l. 25)?

9. Par quoi le silence est-il troublé?

10. Quel bruit lointain entend-on?

11. Quelles sont les caractéristiques de ce tableau, selon Chateaubriand?

12. Pourquoi «les plus belles nuits en Europe» ne peuvent-elles «en donner une idée»? Qu'est-ce qui arrête l'imagination des hommes? Qu'est-ce, au contraire, qui la favorise dans les «déserts du Nouveau Monde»?

13. A quoi doit aboutir la méditation de l'homme devant ce tableau?

GRAMMAIRE

Les verbes pronominaux

• Pour la définition des verbes pronominaux et la distinction entre leurs différentes valeurs (réfléchie, réciproque, simplement pronominale), voir Raymond Queneau, *Exercices de Style*, Grammaire, p. 197.

Valeur réfléchie

EXEMPLE:
la lune se montra (*se* renvoie au sujet, la lune)

Valeur réciproque (il n'y a pas d'exemple de cet emploi du verbe pronominal dans le texte de Chateaubriand)

Valeur simplement pronominale

EXEMPLE:
je vis le jour s'éteindre (le verbe n'est pas réfléchi; le jour ne s'est pas éteint lui-même)

Valeur passive: la forme pronominale peut aussi être employée avec un sens *passif*.

EXEMPLE:

«la grandeur et l'étonnante mélancolie de ce tableau ne sauraient s'exprimer dans les langues humaines.» (s'exprimer
= être exprimées)

• On peut la remplacer par la forme *active* et *on:* «On ne saurait
exprimer la grandeur de ce tableau dans les langues humaines.»

█

Il y a douze verbes pronominaux dans ce texte. Aucun n'a le sens réciproque. Classez-les en trois catégories: réfléchis, simplement pronominaux,
à sens passif (il n'y a qu'un seul verbe de cette catégorie dans le texte).

Verbes pronominaux à sens passif: dans les phrases suivantes, au lieu de
la forme passive, ou de la forme active avec *on,* employez un verbe pronominal.

EXEMPLE:
On voit le fleuve de la fenêtre
= Le fleuve *se voit* de la fenêtre

1. Un tel spectacle peut difficilement être imaginé.
2. Ses livres sont vendus très chers.
3. On comprend facilement ses paroles.
4. On ne sent pas la chaleur dans la forêt.
5. On ne rencontre pas de tels paysages en Europe.
6. Ce style romantique n'est plus employé.
7. On remarque ce qui est beau.
8. Chez les cannibales, la viande est mangée crue.
9. On ne dit pas cela en français correct.
10. On entend d'ici le bruit de la cataracte.

Indiquez les différentes valeurs des verbes pronominaux dans les phrases
suivantes:

EXEMPLES:
a) la lune *se voit* entre les arbres. (passif: la lune est vue, on
   voit la lune)
b) ils *se sont vus* dans la rue. (réciproque: ils se sont vus l'un
   l'autre)
c) elle *se voit* dans cette glace. (réfléchi: elle se voit elle-
   même)

1. a) Elles *se disent* bonjour.
   b) Comment *se dit* «bonjour» en anglais?
   c) Il réfléchit et *se dit* qu'il avait tort.

2. a) Ils sont toujours ensemble. Ils ont l'air de *se plaire*.
   b) Ils *se plaisent* à observer le mouvement des nuages.

3. a) Comment *s'appelle* l'auteur de ce texte?
   b) Ils se téléphonent très souvent; ils *s'appellent* chaque jour.

4. a) Cette histoire *se déroule* au XIXeme siècle.
   b) Attention! Le serpent *se déroule*.

5. a) Le bruit de la cataracte *s'entend* de loin.
   b) Elle a enregistré sa voix au magnétophone, mais quand elle *s'est entendue* elle ne s'est pas reconnue.
   c) Ils crient car ils ne peuvent *s'entendre*.

Exercice général sur les verbes pronominaux

Complétez le texte suivant en employant les verbes entre parenthèses à la forme pronominale quand il convient (mettez les verbes au présent de l'indicatif):

Lorsqu'on (lever) la tête, on (apercevoir) les nuages sombres qui (dérouler) après le coucher du soleil. Puis, la lune (lever) et (éclairer) à la fois le ciel et la terre. Tantôt les brises (rassembler) les nuages, tantôt elles les (disperser). Ils (étendre) comme des voiles diaphanes et (perde) dans les cieux. Tantôt la lumière bleuâtre de la lune (disparaître) et (éteindre), tantôt elle (enfoncer) dans les ténèbres de la forêt. La scène sur la terre (illuminer) tandis que la rivière (refléter) les constellations de la nuit. La grandeur de ce spectacle ne peut (imaginer) en Europe. Il faut (trouver) dans les déserts du Nouveau Monde.

Les temps des verbes: temps passés; présent.

Le passé simple (voir Maupassant, p. 5)

EXEMPLE:
bientôt je vis le jour s'éteindre.

Relevez les passés simples du texte. Où se trouvent-ils groupés? pourquoi?

Mettez les verbes du texte suivant au passé simple.

Le jours s'éteint. Nous contemplons le spectacle de la nuit dans les déserts. Tout bruit cesse près de nous. Nous entendons seulement le mugissement lointain de la cataracte qui s'étend à travers les forêts. La lune apparaît et disparaît derrière les nuées changeantes. La lumière tout à coup descend et illumine la rivière. Alors, on croit sentir la présence de Dieu.

L'imparfait (voir Maupassant, p. 5)

Relevez les imparfaits du texte. Qu'expriment-ils? Dans quelle partie du texte ne trouve-t-on que des imparfaits? Pourquoi? Opposez cette partie au début du texte.

Le plus que parfait (voir Camus, L'Etranger, p. 37)

Justifiez l'emploi du plus que parfait: «je m'étais égaré»

Dans les phrases suivantes, mettez les verbes entre parenthèses au plus que parfait, et justifiez l'emploi de ce temps.

1. La lune s'est levée; le soleil (se coucher) une heure avant.
2. Tout était humide parce qu'il (pleuvoir) toute la nuit.
3. Chateaubriand publia Le Génie du Christianisme; neuf ans plus tôt, il (faire un voyage) en Amérique.
4. Dans ses livres, Chateaubriand a décrit des paysages américains qu'il (ne pas voir).
5. Il a écrit qu'il (visiter) la Floride, mais c'est sans doute inexact.

Le présent

- Le présent décrit une action qui se déroule, ou un fait qui existe, au moment où l'on parle. Le présent peut aussi avoir une valeur générale.

Toute la conclusion est au présent de l'indicatif. Qu'exprime ce présent? Pourquoi? Est-ce logique dans une conclusion?

Exercice général sur l'emploi des temps

(présent, imparfait, passé simple, plus que parfait)

Remplacez les infinitifs entre parenthèses par le temps convenable:

Il (faire) sombre quand ils (se trouver) près de la cataracte. Le soleil déjà (se coucher), mais la lune ne (se lever) pas encore. Elle (se montrer) bientôt et (éclairer) les cieux. Ils (pouvoir) alors admirer ce spectacle: poussées par les brises, les nuées diaphanes (se dérouler), (se rassembler) et (former) des masses blanchâtres qui (ressembler) à des montagnes neigeuses. Tantôt la lune (disparaître) derrière ces nuées, tantôt elle (reparaître) plus brillante encore et sa clarté (descendre) jusque dans les ténèbres de la forêt. La rivière, qui (couler) non loin de là (refléter) la lumière de la lune et des étoiles. Le vent, qui (s'apaiser) auparavant (souffler) plus fort tout à coup et (agiter) les bouleaux de l'autre côté de la rivière. Ils (entendre) alors distinctement la chute de quelques feuilles tandis que les mugissements de la cataracte (traverser) la forêt. C'est dans ce vaste paysage seulement que l'âme (pouvoir) s'étendre, qu'elle (méditer) et (concevoir) Dieu.

VOCABULAIRE ET STYLE

VOCABULAIRE

Les expressions de lieu

• Les prépositions les plus courantes (dans, sur, sous, à) expriment le lieu (Exemple: *dans* une forêt; *sur* la terre). Mais ces prépositions sont vagues; il existe de nombreuses expressions qui permettent d'exprimer le lieu plus précisément.

EXEMPLES:

à quelque distance de la cataracte (exprime un lieu pas trop éloigné)

autour de moi (indique que le narrateur est le centre de la scène, du spectacle qu'il va décrire).

■

Voici la liste des expressions de lieu utilisées par Chateaubriand dans le texte. Comme dans les deux exemples précédents, essayez de préciser leur sens, leur valeur particulière dans le texte:

au-dessus (des arbres)	au loin
à l'horizon opposé	de désert en désert
de l'orient (= de l'est)	à travers
dans les intervalles (des arbres)	de toutes parts
jusque dans	au bord de
de l'autre côté de (la rivière)	devant
çà et là	

Choisissez cinq de ces expressions et employez-les dans des phrases.

- Etudiez la différence de sens entre   *sur*; *au-dessus*; *par-dessus*

  EXEMPLES:

  «la clarté de la lune dormait *sur* les gazons»: expression assez vague.

  La lune brillait *au-dessus* des gazons: au-dessus exprime une *distance* entre la lune et les gazons. La phrase évoque donc la clarté de la lune dans le ciel plutôt que sur la terre.)

  Au contraire, *par-dessus* exprime un *contact direct*, ou une *surimpression* (une chose se superpose à une autre):

  > Des nues se formaient dans le ciel et *par-dessus* leurs voiles, des flocons d'écume se dispersaient.

  > La clarté de la lune se répandait sur la savane, et, *par-dessus* cette clarté, des ombres s'agitaient.

  Par-dessus peut aussi exprimer un *mouvement*, un *franchissement*: sauter *par-dessus* une haie; passer *par-dessus* bord (= to fall overboard).

Complétez les phrases suivantes avec au-dessus (de) ou par-dessus:

1. L'humidité de la nuit pénètre les vêtements. Mettez un imperméable _____ votre pull over.
2. La lune brille _____ des déserts.
3. Des ponts immenses passent _____ les cataractes du Niagara.
4. _____ la scène sur la terre, le spectacle n'était pas moins ravissant.
5. Passez deux couches de peinture sur vos murs. Ensuite, passez une couche de vernis _____, pour faire briller.

Employez chacun de ces termes (sur; au-dessus; par-dessus) dans deux phrases.

Mots rares ou poétiques

Donnez l'équivalent plus courant des mots suivants: l'orient, les nues, les cieux, ployer / déployer, embaumée, brise, expirer.

Exprimez en style plus courant: «qu'elle répétait dans son sein».

Adjectifs

Donnez les adjectifs correspondant aux noms ou aux verbes suivants:

> **EXEMPLE:**
> *velours*: velouté

satin	mollesse	paix	silence
éblouir	élasticité	douceur	solitude
épaisseur	précéder	lumière	mélancolie

STYLE

La description à partir des sensations

• La description de Chateaubriand repose sur des *sensations*: du toucher, de l'ouïe, de l'odorat, et surtout de la *vue*. Dans les sensations visuelles, on distingue celles qui évoquent couleur et lumière, et celles qui évoquent un mouvement.

odorat: Trouvez les sensations olfactives de ce texte.

ouïe: Les sensations auditives sont rassemblées à la fin du troisième paragraphe.

Relevez tous les termes qui expriment un bruit, ou au contraire une absence de bruit.

Essayez de caractériser chacun de ces bruits en expliquant les mots suivants:

> **EXEMPLE:**
> *expiraient:* Le bruit (les «gémissement») de la cataracte devenait de plus en plus faible en s'éloignant. *Expire* exprime cet affaiblissement progressif.

—*gémissement:* Que signifie le verbe *gémir*? la hulotte gémit-elle vraiment? Quelle est l'impression produite par l'emploi de ce mot?

—*mugissements:* Que signifie le verbe *mugir*? A quoi s'applique-t-il habituellement? Pourquoi peut-on dire que la cataracte *mugit*? Quelle est l'impression suggérée? Est-ce un bruit fort? violent? faible? mélancolique? etc. (comparez avec le *gémissement*).

—*sourds:* Expliquez comment cet adjectif modifie le nom *mugisse-ments.* Qu'est-ce qu'un bruit *sourd?* une voix *sourde?* Qu'est-ce qui explique, dans la phrase, pourquoi ce *mugissement* est sourd?

toucher: Bien que l'auteur ne touche pas en réalité les objets qu'il décrit, il suggère la sensation de leur consistance.

Montrez qu'il compare ce qu'il décrit à des objets dont les qualités essentielles se révèlent au toucher, par exemple des tissus:

> **EXEMPLE:**
> Le jour *velouté* de la lune. velouté: qui a la consistance du velours (tissu à la fois doux et mat, à la différence du satin, qui est doux, lisse et brillant).

Relevez quatre noms désignant des tissus ou des matières (ll. 12–16)

Quelle est leur qualité particulière? (ex: le velours: la douceur). Dégagez aussi leurs qualités communes.

Quel est le rapport entre ces qualités et les deux derniers mots du paragraphe (*mollesse* et *élasticité*)?

Complétez les phrases en utilisant cinq des mots suivants: flocon; écume; voiles; ouate; satin; velours.

—La neige tombe en gros _____

—La mer agitée se couvre de _____

—La peau de la pêche est douce comme du _____

—La brume de chaleur s'élève comme un _____

—Seuls les enfants ont une peau aussi lisse que le _____

Choisissez cinq des adjectifs suivants et indiquez auxquels des mots ou groupes de mots suivants ils peuvent s'appliquer; formez chaque fois une phrase complète.

le caoutchouc	ouaté
un fruit trop mûr	satiné
l'écorce du bouleau	élastique
un galet	velouté
l'atmosphère lorsqu'il neige	lisse
une peau jaune	doux

vue: La plupart des impressions visuelles expriment la *couleur* ou la *lumière. Couleur:* azurée, diaphane, satin blanc, flocons d'écume, ouate éblouissante, bleuâtre. *Lumière:* brillante, clarté, lumière, gerbes de lumière, ouate éblouissante. On remarque que tous les termes de *couleur* désignent des nuances de *blanc* ou de *bleu*. Etudions ces nuances:

Expliquez la formation et le sens des adjectifs *azuré* et *bleuâtre*.

Donnez d'autres adjectifs formés avec le suffixe -âtre. Quel sens apporte généralement ce suffixe?

La blancheur est exprimée ou suggérée par les matières. Quelles sont ces matières. Quelle est leur couleur en général? sont-elles brillantes ou mates (exemple: satin blanc: brillant).

Comment la matière et la couleur sont-elles modifiées par l'adjectif *éblouissante?*

Relevez dans le texte tout ce qui exprime la lumière.

Essayez de préciser la différence de sens entre *éclairer, briller, éblouir* (notez aussi la différence de construction: *briller* ne peut pas avoir de complément d'objet direct).

Complétez les phrases du texte suivant en utilisant les trois verbes comme il convient (employez le présent).

La lune qui _____ dans le ciel _____ la scène sur la terre. Mais, même lorsque sa clarté est vive, elle ne blesse pas nos yeux, au contraire du soleil qui, lui, lorsqu'il _____ à midi, nous _____.

Dans le troisième paragraphe, relevez tous les termes qui suggèrent l'ombre. Montrez que chacun s'oppose à une notation de lumière.

> **EXEMPLE:**
> *gerbes de lumière* et *profondes ténèbres*

Mouvements: Remarquez que dans cette description, la plupart des éléments sont en mouvement: la lune, les nuages, la clarté de la lune dans le ciel (reflétée par la rivière).

■

Dans le premier paragraphe, cherchez les termes qui expriment le mouvement de la lune. Montrez qu'il s'agit d'un mouvement *progressif* et relativement *lent*.

Cherchez ensuite les termes exprimant le mouvement des nuages. Montrez la *variété* de ces mouvements (les nuages se forment et se déforment, etc.).

EXEMPLE:

«ployant et déployant leur voiles»: suggère que des nuages légers (*voiles*) passent les uns sur les autres, se recouvrent comme s'ils étaient pliés (*ployant*) puis s'élargissent dans l'espace comme s'ils étaient dépliés.

La lumière sur la terre s'accompagne elle-même d'un mouvement. Cherchez et expliquez tout ce qui exprime ce mouvement.

EXEMPLE:

(le jour bleuâtre et velouté de la lune) . . . «*poussait des gerbes de lumière jusque dans* l'épaisseur des plus profondes ténèbres.» Le verbe *pousser*, ainsi que *jusque dans* indiquent non seulement un mouvement mais une *pénétration*. La lumière pénètre l'ombre, même là où l'ombre est la plus épaisse («l'épaisseur des plus profondes ténèbres». *ténèbres* exprime déjà une ombre très noire, idée renforcée par *profondes* et *épaisseur*). Cette puissance de la lumière qui pénètre les ténèbres est exprimée aussi par le mot *gerbe*. Une *gerbe* de blé, de fleurs, est composée d'épis de blé, de fleurs dont les tiges sont longues. Le mot évoque aussi un *nombre* de fleurs, d'épis, plus grand que dans le mot *bouquet* par exemple. Donc, quand on parle de *gerbes de lumière*, on pense à la fois à la *longueur* et au *grand nombre* des rayons de lumière; on pense aussi à un *mouvement* (cf: gerbes d'étincelles, gerbes d'eau etc.)

Etudiez de la même façon le mouvement qui accompagne la lumière sur la rivière (notez l'expression des *reflets*), et le mouvement des ombres des bouleaux.

Notez toutes les *oppositions* entre le mouvement et l'immobilité.

Correspondances de sensations

Une sensation en évoque une autre. Exemple: «sa course azurée». Cet exemple est complexe car la course azurée de la lune a deux sens ici: c'est une course *dans l'azur* (terme noble désignant le ciel), mais c'est aussi la clarté de la lune qui est teintée de bleu (sens habituel de *azuré*; plus loin, Chateaubriand mentionne «le jour bleuâtre» de la lune). Dans notre exemple, cette notation de couleur ne s'applique pas directement à la lune, mais à son mouvement, «sa course». Le procédé poétique et littéraire employé ici consiste donc à tablir une correspondance entre un *mouvement* et une *couleur*.

■

Relevez et expliquez deux autres exemples de correspondances dans le texte.

Expliquez les expressions suivantes en notant les sensations qu'elles évoquent (ces exemples de correspondances de sensations sont tirées de poèmes célèbres de Baudelaire et Verlaine):

«Bientôt nous plongerons dans les froides ténèbres» (Baudelaire)

«...l'odeur fade du réséda.» (Verlaine)

«Il est des parfums frais comme des chairs d'enfant,
Doux comme les hautbois, verts comme les prairies.» (Baudelaire)

«Le monde s'endort
Dans une chaude lumière» (Baudelaire)

A propos de ce dernier exemple, précisez ce qu'on appelle une couleur chaude, une couleur froide. Donnez des exemples de ces couleurs.

Les Images

(voir une étude des comparaisons et métaphores à propos du texte de Maupassant, p. 8)

comparaisons

• Elles sont introduites soit par des conjonctions (comme, ainsi que, de même que etc.), soit par des adjectifs (pareil à, semblable à etc.), soit par des verbes (ressembler à, sembler, paraître etc.).

EXEMPLE:
«des groupes de nues qui *ressemblaient à* la cime de hautes montagnes»

■

Ecrivez trois phrases complètes contenant une comparaison (avec une conjonction, un adjectif, un verbe) et décrivant des nuages.

métaphores

• Une métaphore est une image qui contient une comparaison sous-entendue.

EXEMPLE:

«ces nues.... se déroulaient en zones *diaphanes de satin blanc*»: la comparaison des nuages avec du satin est sous-entendue; l'auteur n'utilise pas de mots de comparaison et décrit les nuages comme s'ils étaient vraiment du satin.

Relevez et expliquez une autre métaphore du texte.

Expliquez les images dans la phrase suivante: «...des bouleaux agités par les brises.... mer immobile de lumière.»

—Que décrit l'expression «cette mer immobile de lumière»?

—Pourquoi les bouleaux forment-ils des «îles d'ombres flottantes»? Expliquez et justifiez ces trois mots.

—Quel rapport voyez-vous entre ces deux images?

Les rythmes et les sonorités

Chateaubriand écrit une «prose poétique» non seulement parce qu'il emploie des images, mais aussi parce qu'il crée une certaine harmonie grâce au rythme des phrases et aux sonorités des mots.

EXEMPLE:

«Auprès tout aurait été silence....solitaire.» *Première partie de la phrase:* remarquable par son *rythme ternaire:* La chute de quelques feuilles (1), le passage d'un vent subit (2), le gémissement de la hulotte (3). La construction de ces trois groupes est semblable: nom + complément de nom (accompagné d'un adjectif dans les deux premières expressions). Les mots sont courts: une ou deux syllabes suggérant la brièveté du bruit. Dans le troisième groupe, le mot *gémissement* est plus long, mais le rythme du groupe reste semblable à celui des deux autres, car cette longueur du nom est compensée par l'absence d'adjectif. Donc, construction et rythme sont semblables.

Les bruits sont aussi évoqués par les *sonorités:* voyelle u, i (ch*u*te, s*u*bit, h*u*lotte). Ces voyelles suggèrent des bruits aigus, qui sont assourdis par les «s» et «ch» (*ch*ute, *s*ubit, gé-mi*ss*ement).

Deuxième partie de la phrase: elle est caractéristique d'abord par son *rythme,* qui suggère un élargissement. Elle se divise en deux parties de longueur à peu près semblable. Dans la deuxième moitié (à partir de «*qui*»), un effet d'élargissement est obtenu par le *groupe binaire:* se prolongeaient de désert en désert (1) et expiraient à travers les forêts solitaires (2). Ce rythme suggère l'*immensité* du cadre dans lequel le bruit se prolonge et se perd. La répercussion, le prolongement et l'écho du bruit sont suggérés par répétition des sonorités «*-ai*» (se prolonge*ai*ent-exp*i*raient) des deux verbes parallèles, et surtout par la répétition des sonorités *-ers* (dés*ert*, dés*ert*, tra-*vers*, soli*taires*).

■

Etudiez de la même façon la dernière phrase de la conclusion («En vain. . . . devant Dieu»). Que suggère la brièveté des deux premières parties de la phrase? Montrez comment cette brièveté s'oppose à la longueur et au rythme de la dernière partie («mais dans ces régions . . .»).

Construisez vous-même une phrase suggérant le mouvement des nuages ou les variations d'un bruit en employant comme Chateaubriand un rythme binaire ou ternaire.

TEXTE COMPLEMENTAIRE

Pénétrez dans ces forêts américaines aussi vieilles que le monde. . . . La nuit s'approche, les ombres s'épaississent: on entend des troupeaux de bêtes sauvages passer dans les ténèbres; la terre murmure sous vos pas; quelques coups de foudre font mugir les déserts; la forêt s'agite, les arbres tombent, un fleuve inconnu coule devant vous. La lune sort enfin de l'orient; à mesure que vous passez au pied des arbres, elle semble errer devant vous dans leur cime et suivre tristement vos yeux. Le voyageur s'assied sur le tronc d'un chêne pour attendre le jour; il regarde tour à tour l'astre des nuits, les ténèbres, le fleuve; il se sent inquiet, agité, et, dans l'attente de quelque chose d'inconnu, un plaisir inouï, une crainte extraordinaire font palpiter son sein comme s'il allait être admis à quelque secret de la divinité.

(Chateaubriand, *Le Génie du Christianisme*)

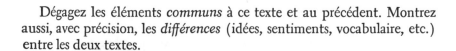

Dégagez les éléments *communs* à ce texte et au précédent. Montrez aussi, avec précision, les *différences* (idées, sentiments, vocabulaire, etc.) entre les deux textes.

REDACTION

La nuit descend sur la campagne, ou la ville. En vous inspirant de l'étude du texte de Chateaubriand, faites un tableau de la nuit. Donnez d'abord toutes les indications de temps et de lieu. Puis décrivez le ciel. Décrivez ensuite la «scène sur la terre». N'oubliez pas l'importance des *sensations* et des *contrastes*.

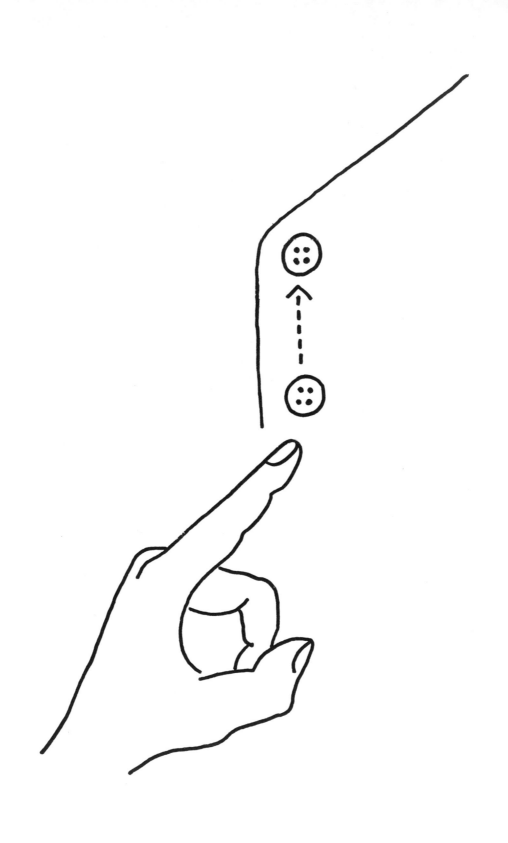

Raymond Queneau

Exercices de Style

Dans son livre *Exercices de Style*, Raymond Queneau s'est amusé à raconter la même histoire 99 fois, dans un style différent chaque fois. Pour rendre cet «exercice» plus difficile, il a choisi volontairement une anecdote insignifiante, une petite scène extrêmement banale observée dans un autobus parisien. Le titre de chaque texte décrit de manière plus ou moins précise le genre de style utilisé. Nous avons choisi trois de ces textes: *Récit, Passé Indéfini* et *Apartés*, ainsi qu'un quatrième, *Exclamations*, comme texte complémentaire.

Récit

UN jour vers midi du côté du parc Monceau, sur la plate-forme [1] arrière d'un autobus à peu près complet de la ligne S (aujourd'hui

[1] *plate-forme*: partie non fermée à l'arrière de l'autobus, où les voyageurs peuvent rester debout (les nouveaux modèles d'autobus parisiens n'ont plus de plate-forme).

84),[2] j'aperçus un personnage au cou fort long qui portait un feutre[3] mou entouré d'un galon tressé[4] au lieu de ruban. Cet individu interpella tout à coup son voisin en prétendant que celui-ci faisait exprès de lui marcher sur les pieds chaque fois qu'il montait ou descendait des voyageurs. Il abandonna d'ailleurs rapidement la discussion pour se jeter sur une place devenue libre.

Deux heures plus tard, je le revis devant la gare Saint-Lazare en grande conversation avec un ami qui lui conseillait de diminuer l'échancrure de son pardessus en en faisant remonter le bouton supérieur par quelque tailleur compétent.

[2] *aujourd'hui:* maintenant (autrefois, la ligne s'appelait «S», mais maintenant elle porte le numéro 84)
[3] *un feutre:* un chapeau de feutre
[4] *un galon tressé:* a braid

Passé indéfini

JE suis monté dans l'autobus de la porte Champerret.[1] Il y avait beaucoup de monde, des jeunes, des vieux, des femmes, des militaires. J'ai payé ma place et puis j'ai regardé autour de moi. Ce n'était pas très intéressant. J'ai quand même fini par remarquer un jeune homme dont j'ai trouvé le cou trop long. J'ai examiné son chapeau et je me suis aperçu qu'au lieu d'un ruban il y avait un galon tressé. Chaque fois qu'un nouveau voyageur est monté il y a eu de la bousculade. Je n'ai rien dit, mais le jeune homme au long cou a tout de même interpellé son voisin. Je n'ai pas entendu ce qu'il lui a dit, mais ils se sont regardés d'un sale œil.[2]

[1] *l'autobus de la porte Champerret:* l'autobus qui va porte Champerret (dernière station de la ligne)
[2] *ils se sont regardés d'un sale œil:* familier, "they glared at each other."

Alors, le jeune homme au long cou est allé s'asseoir précipitam-
ment.   25

En revenant de la porte Champerret, je suis passé devant la
gare Saint-Lazare. J'ai vu mon type qui discutait avec un copain.
Celui-ci a désigné du doigt un bouton juste au-dessus de l'échancrure du pardessus. Puis l'autobus m'a emmené et je ne les ai
plus vus. J'étais assis et je n'ai pensé à rien.   30

Apartés

L'AUTOBUS arriva tout gonflé de voyageurs. *Pourvu* [1] *que* [2] je
ne le rate pas, veine [3] *il y a encore une place pour moi.* L'un d'eux
il en a une drôle de tirelire [4] *avec son cou démesuré* portait un
chapeau de feutre mou entouré d'une sorte de cordelette à la
place de ruban *ce que* [5] *ça a l'air prétentieux* et soudain se mit   35
tiens qu'est-ce qui lui prend [6] à vitupérer un voisin *l'autre fait
pas attention* [7] *à ce qu'il lui raconte* auquel il reprochait de lui
marcher exprès *a l'air de chercher la bagarre,* [8] *mais il se dégonflera* [9] sur les pieds. Mais comme une place était libre à l'intérieur

---

[1] Les parties en italiques, qui expriment les réflexions intérieures du personnage,
ne sont presque pas ponctuées. Queneau, en particulier, a supprimé tous les points
d'exclamation, et (sauf dans la dernière phrase), d'interrogation.

[2] *Pourvu que* (dans une phrase exclamative) : I hope (let's hope) that . . . (pourvu
que . . . est suivi du subjonctif).

[3] *veine:* devrait être suivi d'un point d'exclamation. "veine" (familier pour
«chance») est une forme abrégée pour: «j'ai de la veine» ou «quelle veine!»

[4] *tirelire:* très familier pour «figure», «visage». (au sens propre, tirelire = piggy
bank)

[5] *ce que* . . . familier pour «que» exclamatif «Que ça a l'air prétentieux!»

[6] *Qu'est-ce qui lui prend* (?): familier, "What's eating him?"

[7] *l'autre fait pas attention:* familier pour «l'autre *ne* fait pas attention»

[8] *chercher la bagarre:* familier, "look for a fight"

[9] *il se dégonflera:* argot, "he'll turn yellow." au sens propre, dégonfler veut dire
to deflate, se dégonfler, to become deflated

40   *qu'est-ce que je disais*,[10] il tourna le dos et courut l'occuper.

Deux heures plus tard environ *c'est curieux les coïncidences*, il se trouvait Cour de Rome [11] en compagnie d'un ami *un michet* [12] *de son espèce* qui lui désignait de l'index un bouton de son pardessus *qu'est-ce qu'il peut bien lui raconter?*

Exercices de Style, 1947

[10] *qu'est-ce que je disais* (!): familier; expression utilisée quand une chose qu'on avait prévue arrive.

[11] *Cour de Rome*: nom de la place qui se trouve devant la Gare Saint Lazare.

[12] *michet*: argot et péjoratif (démodé); désigne n'importe quel homme pour lequel on éprouve du mépris.

QUESTIONS

RECIT

1. Où se trouve exactement le narrateur de ce récit?
2. Quelle était la caractéristique physique du personnage qu'il a aperçu?
3. Quelle était la particularité du chapeau de ce personnage?
4. Pourquoi cet individu a-t-il interpellé son voisin?
5. Quel est le sens exact du verbe *prétendre?* Croyez-vous que son voisin faisait vraiment expres de lui marcher sur les pieds?
5. Quand son voisin lui marchait-il sur les pieds?
6. Pour quelle raison le personnage a-t-il abandonné la discussion?
7. Où et quand le narrateur a-t-il rencontré de nouveau ce personnage?
8. Que faisait-il? Quel conseil son ami lui donnait-il? Quel était le défaut de son pardessus?

PASSE INDEFINI

1. Où se passe la scène? Ce lieu est-il aussi précis que dans le passage précédent?
2. Qui se trouvait dans l'autobus?
3. Le narrateur sait-il pourquoi le jeune homme a interpellé son voisin?
4. Quel signe d'hostilité les deux hommes ont-ils montré?

5. Lorsque le narrateur revoit le jeune homme devant la Gare Saint Lazare, sait-il avec précision ce que lui dit son ami?

APARTES

1. Qu'est-ce qu'un *aparté?*
   Comment ce mot s'applique-t-il au texte?
2. Quelles parties du texte sont décrites par le titre?
3. Remarquez-vous une différence de style entre les parties en italiques et les autres? Donnez des exemples de cette différence.
4. Quelles parties sont au présent?
   Quelles parties sont au passé?
   Pourquoi?
5. Le texte aurait-il encore un sens si on supprimait les parties en italiques? Et si l'on gardait seulement ces passages en italiques? Essayez d'expliquer pourquoi.

SUR L'ENSEMBLE

Récit donne *tous* les éléments de l'histoire. Certains de ces éléments manquent dans les autres textes? Lesquels?

GRAMMAIRE

Les pronoms personnels

Objet direct et indirect

- Les pronoms objets direct sont: me te nous vous le la les.

- Les pronoms objet indirect sont: me te nous vous lui leur.

- Le choix du pronoms présente donc un problème à la *troisième personne* (pour les autres personnes, les pronoms sont les mêmes, que l'objet soit direct ou indirect).

- Le choix du pronom dépend de la construction du verbe. Si le verbe se construit avec un *complément d'objet direct* (c'est-à-dire, s'il n'y a pas de préposition entre le verbe et son complément), on utilise les pronoms *directs le, la, les*. Si le verbe se construit avec un *complément d'objet indirect* (c'est-à-dire si le verbe est suivi d'une préposition), on utilise les pronoms *indirects lui* (masculin et féminin singulier) et *leur* (masculin et féminin pluriel).

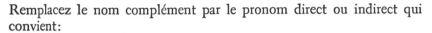

Remplacez le nom complément par le pronom direct ou indirect qui convient:

EXEMPLE:
j'aperçus un personnage
= je l'aperçus

1. Le jeune homme abandonna *la discussion*.
2. Le tailleur doit diminuer *cette échancrure*.
3. Il paye *sa place*.
4. Il interpelle *son voisin*.
5. Il conseille *à tous ses amis* de ne pas prendre l'autobus.
6. Pourquoi regarde-t-elle *cet individu?*
7. J'entends *leur conversation*.
8. Nous disons *à notre ami* de s'asseoir.
9. Dis *à ce type* de se taire.
10. Il nous racontera *l'histoire*.

Reprenez l'exercice précédent. Mettez les nouvelles phrases obtenues au passé composé.

EXEMPLE:
je l'aperçus
= je l'ai aperçu

• Pensez à la règle de l'accord du participe passé: quand l'auxiliaire est *avoir*, le participe passé s'accorde avec le complément d'objet direct s'il est placé *avant* le verbe.

Remplacez les compléments soulignés par des pronoms personnels. L'ordre des pronoms est le suivant: *Objet Indirect + Objet Direct + verbe. Exceptions:* quand les deux compléments commencent par la même lettre, l'ordre est inversé: *Objet Direct + Objet Indirect + verbe.*

EXEMPLES:
Il me conseille de voir un tailleur
= Il *me* (O. I.) *le* (O. D.) conseille
Il conseille à son ami de voir un tailleur
= Il *le* (O. D.) *lui* (O. I.) conseille

1. Il reproche *à son voisin sa brutalité*.
2. Nous avons raconté *cette anecdote à nos amis*.
3. Je désigne *cet individu à mon voisin*.

4. T'ai-je raconté *cette coïncidence?*

5. Personne n'a dit *à ce jeune homme* qu'*une place était libre.*

Voici quelques autres verbes de construction semblable, mais ne figurant pas dans les textes ci-dessus :

refuser quelque chose à quelqu'un
demander   "   "
défendre   "   "
interdire   "   "
accorder   "   "
donner   "   "

Remplacez les mots soulignés par les pronoms qui conviennent :

1. On interdit *aux voyageurs de fumer dans l'autobus.*

2. J'ai demandé *le numéro de l'autobus à l'homme au long cou.*

3. On accorde *les places assises aux invalides.*

4. Il a refusé *sa place au vieillard.*

5. Le réglement ne défend pas *aux voyageurs de se marcher sur les pieds.*

6. Il a donné *à son ami l'adresse de son tailleur.*

EMPLOI PARTICULIER DES PRONOMS PERSONNELS OBJET INDIRECT

EXEMPLE:
Celui-ci faisait exprès de *lui* marcher sur les pieds.
= (de marcher sur ses pieds)

• *Règle générale:* devant un nom désignant une partie du corps, on n'emploie pas de possessif quand le contexte indique clairement qui est le possesseur de cette partie du corps (Ex: il a un chapeau sur la tête; j'ai mal aux pieds).

Dans ces exemples, le sujet de la phrase et le possesseur de la partie du corps sont la même personne. Par contre, dans «Je lui marche sur les pieds», le sujet et le possesseur sont deux personnes différentes. Le sujet agit sur la partie du corps de l'autre personne. Le pronom indirect *lui* sert à indiquer le possesseur de la partie du corps («Je marche sur les pieds» n'aurait aucun sens puisque la phrase n'indique pas à qui appartiennent les pieds dont on parle).

Faites une phrase avec chacune des expressions suivantes en exprimant le possesseur de la partie du corps par un pronom :

1. prendre la main
2. tirer les cheveux
3. serrer le cou
4. toucher l'épaule
5. embrasser la joue
6. mordre le bras
7. tordre les poignets

Pronoms disjonctifs

moi	nous
toi	vous
lui / elle	eux / elles

Après une préposition

EXEMPLE:
«J'ai regardé autour de *moi*»

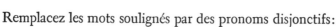

Remplacez les mots soulignés par des pronoms disjonctifs:
1. Je l'ai aperçu avec *son copain*.
2. Il est monté en même temps que *ces deux voyageurs*.
3. Il est passé devant *ma voisine*.
4. L'un *des voyageurs* avait un cou démesuré.
5. Je ne pensais plus à *ce jeune homme* quand je l'ai aperçu de nouveau.

CONSTRUCTION DE «PENSER À», «FAIRE ATTENTION À»

• Après ces verbes, on emploie un pronom disjonctif si le complément est une *personne*. On emploie le pronom indéfini «y» si le complément est une chose, un fait, une abstraction etc.

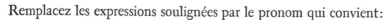

Remplacez les expressions soulignées par le pronom qui convient:
EXEMPLE:
«Il ne fait pas attention à ce *qu'il lui raconte*»
= il n'y fait pas attention.

1. J'ai pensé longtemps *à cette coïncidence.*
2. Pensez-vous encore *à l'homme au long cou?*
3. Ils ne font pas attention *aux militaires.*
4. Personne ne fait attention *à la bousculade.*
5. Pense à aller *gare Saint-Lazare.*
6. Je n'ai pas fait attention *aux voyageurs.*
7. Je ris quand je pense *à son chapeau.*
8. Avez-vous fait attention *à son galon tressé?*
9. Tu n'as pas fait attention *à leurs remarques désagréables?*
10. Je pense *à ma voisine.*

Verbes pronominaux

- La forme pronominale peut avoir quatre valeurs différentes:

—valeur *réfléchie* (je me lave)
—valeur *réciproque* (ils se parlent)
—valeur simplement *pronominale,* c'est-à-dire ni réfléchie ni réciproque (il s'enfuit). Dans cette catégorie, on trouve des verbes qui n'existent qu'à la forme pronominale (s'évanouir, s'envoler, se repentir, s'enfuir) et des verbes qui existent à la forme normale mais prennent un sens spécial à la forme pronominale (s'ennuyer, s'apercevoir, se dépêcher).
—valeur passive (le numéro de l'auobus se voit de loin)

- Certains verbes peuvent avoir trois, ou même les quatre valeurs. C'est le contexte qui permet de distinguer leur sens exact.

DISTINCTION ENTRE RÉFLÉCHI ET RÉCIPROQUE:

- Dans tous les cas où "each other", "one another" (réciproque) ou "oneself, myself" etc. (réfléchi) sont *exprimés* ou *sous-entendus* en anglais, le verbe français *doit* être à la forme pronominale

EXEMPLES:
I shave: je me rase
They met here: ils se sont rencontrés ici.

EMPLOI DE «L'UN L'AUTRE, L'UN À L'AUTRE» ETC.

—«l'un l'autre» n'est *jamais* obligatoire.
—Il est parfois utile d'employer «l'un l'autre» pour préciser que le verbe est réciproque et non réfléchi. Mais *le plus souvent* le contexte suffit à rendre le sens évident.
—Même si l'on utilise «l'un l'autre», le verbe *doit être à la forme pro-*

nominale; «l'un l'autre» n'est pas une forme pronominale, il ne la *remplace pas*, il *s'ajoute* simplement à elle.

∎

Relevez dans *Récit* et dans *Passé Indéfini* les verbes pronominaux.

Dans ces textes, ces verbes sont-ils réciproques, réfléchis ou simplement pronominaux?

Quels sont ceux de ces verbes qui peuvent avoir plusieurs valeurs (par exemple, réciproque et réfléchie)? Utilisez-les dans des phrases indiquant clairement la différence de sens.

> **EXEMPLE:**
> *S'apercevoir* peut être:
> —*simplement pronominal*: je m'aperçois qu'il est tard (*me* ne renvoie à rien de précis mais fait partie du verbe)
> —*réfléchi*: je m'aperçois dans la glace.
> —*réciproque*: Jean et Paul se sont aperçus dans l'autobus.
> —*passif*: l'autobus s'aperçoit au coin de la rue.

∎

Dans l'exercice suivant, indiquez si les verbes pronominaux sont réciproques, réfléchis ou simplement pronominaux:

Lorsque *nous nous sommes aperçus* que nous étions en retard *nous nous sommes mis à* courir pour attraper l'autobus. Sur la plate-forme, où tout le monde *se bousculait*, deux hommes *se sont interpellés* et se sont disputés. Ils *s'accusaient* mutuellement de *se marcher sur les pieds*. «Vous le faites exprès,» *s'écria* l'un. L'autre *se préparait* à répondre quand il vit une place assise. Il *s'enfuit* aussitôt et alla *s'asseoir*.

Employez chacun des verbes suivants dans une phrase en indiquant sa valeur (réfléchi, réciproque, simplement pronominal)

> **EXEMPLE:**
> se battre
> = Les deux hommes ne se sont pas battus dans l'autobus (réciproque)
>
> —s'en aller
> —s'écrire
> —se défendre
> —se parler
> —se promener

Exercice général sur les pronoms

Dans le texte suivant, analysez les pronoms en italiques (dites s'il s'agit d'un pronom personnel complément d'objet direct; complément d'objet indirect; disjonctif; réfléchi; réciproque; appartenant à un verbe simplement pronominal):

Mes amis *m*'attendaient pour déjeuner vers midi et demi, à la porte de Champerret. Je *me* demandais si j'irais à pied ou si je prendrais l'autobus quand je *me* suis rendu compte qu'il était déjà midi. Je *me* suis dépêché et j'ai attendu le 84. Dès qu'il *s*'est arrêté, tout le monde *s*'est précipité pour monter. On *se* bouscule, on *se* marche sur les pieds, on *se* pousse, et on *se* trouve enfin sur la plate-forme. Quand on prend un autobus parisien à midi, il faut *s*'attendre à tout! Mais deux hommes *se* parlent. Ils *se* disputent, ils *se* fâchent, ils *s*'insultent. «Vous faites exprès de *me* marcher sur les pieds!» dit l'un «Répétez-*le*» *s*'écrie l'autre. Les autres voyageurs *les* regardent. Vont-ils *leur* dire de *se* taire? Non. Ils savent que ce n'est pas grave. Cela *se* passe chaque jour. On *s*'habitue vite aux mœurs parisiennes...

Complétez la suite du texte par les pronoms voulus:

Autour d'_____, les voyageurs _____ sourient avec complicité. Ils _____ amusent; au moins, ils ne _____ ennuient pas! Mais surtout, le plus drôle, c'est l'aspect bizarre de l'un des deux hommes. Il a un très long cou, un chapeau extraordinaire, et il porte sur _____ un pardessus dont les boutons ne sont pas à leur place. Alors, vont-ils _____ battre, tous les deux? Mais non. Une bousculade _____ sépare. Ils _____ regardent encore méchamment. Et l'homme au chapeau _____ en va très vite. Il _____ précipite au fond de l'autobus, bouscule tout le monde sans _____ excuser, et _____ jette sur une place libre. Pas de chance: la place n'est pas pour _____. Elle est réservée aux vieillards, aux invalides, aux femmes enceintes. Justement, voilà une femme, elle _____ sent mal, elle veut _____ asseoir. Il doit _____ lever!

Toute cette histoire, je n'_____ pensais plus, je _____ avais oubliée, quand l'autre jour, qui est-ce que je rencontre? Le type au chapeau. Il _____ promenait, et il avait avec _____ un ami qui _____ montrait du doigt les boutons de son pardessus. Il ne _____ a pas reconnu, mais moi, je ne _____ suis pas trompé, je _____ _____ rappelais bien, je vous _____ assure, c'était bien _____, il avait l'air aussi stupide. Mais si vous _____ con-

naissez, ne _____ dites rien. Il _____ sentirait peut-être ridi-
cule. Cette histoire, c'est seulement entre _____ et _____!

Nom + Déterminant

• Un nom peut être qualifié par toute une expression (appelée *déterminant*) qui se compose de:

la préposition *à* + article défini + adjectif + nom (ou nom + adj)

EXEMPLE:
l'homme *au long cou*
= l'homme qui a un long cou.

• Le déterminant décrit le plus souvent une caractéristique physique
ou vestimentaire du sujet.

Modifiez les phrases suivantes selon l'exemple précédent. Comment
appelez-vous:

1. un homme qui a un regard sévère?

2. une maison qui a un toit rouge?

3. Argus, l'animal qui a cent yeux?

4. un homme qui porte un costume bleu?

5. une femme qui a des cheveux frisés?

6. une personne dont l'air est bizarre?

Trouvez, sur le même modèle, des expressions pour caractériser les noms
suivants.

EXEMPLE:
un arbre (feuilles)
= un arbre aux feuilles rousses.

1. le livre (couverture)

2. la cigogne (bec)

3. le chameau (bosse)

4. la girafe (cou)

5. le vieillard (barbe)

6. le jeune homme (cheveux)

7. une maison (murs)
8. la femme (robe)
9. la fleur (odeur)
10. un animal (poil)

VOCABULAIRE ET STYLE

VOCABULAIRE

Les expressions de temps

█

Relevez dans le premier passage (*Récit*) les expressions de temps (il y en a six). Indiquez leur valeur (vague? précise? habituelle? soudaine?)

> **EXEMPLE:**
> *un jour* (vague)

Employez chacune de ces expressions dans une phrase.

Verbes de perception: la vue

█

Dans les deux premiers textes (*Récit* et *Passé Indéfini*), relevez tous les verbes exprimant un regard.

Essayez d'expliquer la différence entre:
> *voir* et *revoir*
> *voir* et *regarder*
> *voir* et *apercevoir*
> *apercevoir* et *s'apercevoir*
> *remarquer* et *examiner*

et utilisez chacun de ces verbes dans une phrase.

> **EXEMPLE:**
> *voir* et *regarder*

Quand on *voit* on est passif. Quand on *regarde* on est actif. *Regarder* suppose que l'on porte une certaine attention à une personne ou à une chose: j'ai *vu* passer un autobus mais je n'ai pas *regardé* son numéro

Expressions idiomatiques

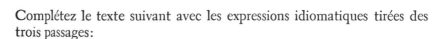

Complétez le texte suivant avec les expressions idiomatiques tirées des trois passages:

    faire exprès de
    être en grande conversation avec
    avoir l'air prétentieux
    tourner le dos
    désigner du doigt (de l'index)
    avoir de la chance (de la veine)

Comme j'arrivais à l'arrêt de l'autobus, j'ai aperçu dans la file d'attente un jeune homme que je connais un peu et que je n'aime pas parce qu'il _____. Il était _____ avec une jeune fille, mais je crois qu'il m'a vu et qu'il a _____ de _____ parce qu'il ne voulait pas me parler. Il a même _____ quelque chose de l'autre côté de la rue pour que son amie regarde dans cette direction et ne me voie pas. En fait, je trouve que j'ai _____, car je n'avais envie de parler ni à l'un ni à l'autre.

STYLE

Ces trois histoires ont en commun quatre éléments:

    l'arrivée de l'autobus
    la description du jeune homme
    l'incident
    la deuxième rencontre

Or, chacun de ces textes présente ces éléments d'une manière différente. Les différences résident dans:

1) le point de vue de l'auteur; sa participation plus ou moins grande au récit, sa plus ou moins grande objectivité ou subjectivité.

2) le style. chaque texte présente un *niveau* de style différent, du littéraire au très familier.

Les différences de point de vue

Le narrateur est-il davantage présent dans *Récit* ou dans *Passé Indéfini?*

Prenons l'exemple du début des deux textes:

Récit: «Un jour vers midi. . . . j'aperçus . . .» Les renseignements concernant le lieu sont donnés sans que le sujet intervienne. Le sujet n'apparaît que dans l'acte de voir le jeune homme.

Passé Indéfini: «Je suis monté. . . . J'ai payé ma place. . . . j'ai regardé . . .» Le récit est fait *en fonction de l'expérience directe du narrateur.*

Dans le premier texte, le numéro de l'autobus est donné (et son ancienne appellation). C'est une précision objective. Dans le deuxième passage, au lieu du numéro de l'autobus, le narrateur précise: «l'autobus de la Porte Champerret»: c'est la *direction* de l'autobus qui l'intéresse parce qu'il va lui-même porte de Champerret (voir la fin du texte). L'indication est donc subjective, liée à son expérience.

█

Cherchez successivement les différences dans la présentation des trois autres éléments (description du jeune homme; incident; deuxième rencontre). En particulier, notez tous les mots, expressions, phrases qui dénotent dans *Passé Indéfini*

—la froideur du narrateur, son manque d'intérêt pour la scène qu'il décrit
—son absence de participation
—sa vision limitée (comprend-il vraiment ce qui se passe?)

Remarquez l'abondance des *formes négatives.* Montrez qu'elles correspondent à l'attitude du narrateur.

Dans *Apartés*, le style est-il objectif? subjectif? Dans quels passages?

EXEMPLE:
«L'autobus arriva . . . voyageurs»: constatation objective. «*Pourvu que . . . pour moi*»: réflexion personnelle qui donne de la vie au texte. Le narrateur exprime des *sentiments:* peur de rater le bus, satisfaction de trouver une place.

Montrez dans le reste du texte cette alternance des passages objectifs et subjectifs.

Montrez que le narrateur, dans son «monologue intérieur» formule: des *sentiments*; des *jugements* et *opinions* (esthétiques, moraux); des *pronostics*.

En quoi son attitude s'oppose-t-elle à celle du narrateur de *Passé Indéfini?* de *Récit?*

Les niveaux de style

Le style de *Récit* est un style littéraire. Montrez-le. Quel *temps* le narrateur emploie-t-il? Trouvez des mots d'emploi rare ou recherché (par exemple, quel est l'équivalent courant de *fort* dans «fort long»?).

Quelles remarques faites-vous sur la construction et la longueur des phrases? Sont-elles liées entre elles?

Dans *Passé Indéfini*, le style est-il littéraire? simple? familier? Comparez-le à celui de *Récit*:

— Quel *temps* le narrateur emploie-t-il?

— Quelles remarques peut-on faire sur le *vocabulaire?* est-il *aussi précis* que dans le texte précédent? (exemple: «un feutre mou» dans *Récit*; «un chapeau» dans *Passé Indéfini*). Donnez des exemples.

— Relevez des mots ou expressions familiers par exemple, «ami» dans *Récit* (non familier) devient «copain» dans *Passé Indéfini* (familier)

— Donnez des exemples de style *négligé* (ex: l'emploi de l'expression banale «il y a»). Pourquoi l'auteur utilise-t-il ce genre de style ici? Est-ce une négligence de sa part?

— Opposez le rythme des phrases à celui des phrases de *Récit*.

Quelle remarque faites-vous sur l'emploi des temps dans *Apartés?*

Relevez toutes les expressions familières, argotiques, ou même incorrectes du passage.

Cherchez à quelles expressions ou à quels termes elles correspondent dans les deux autres textes.

EXEMPLE:
un ami (*Récit*)
un copain (*Passé Indéfini*) : familier
un michet de son espèce (*Apartés*) : argotique

Montrez précisément comment les constructions des phrases en apartés expriment l'intérêt et la participation du narrateur (s'agit-il de simples constatations? Phrases affirmatives? négatives? interrogatives? exclamatives?)

L'intérêt des «exercices de style»

A votre avis, quel est l'intérêt de ces «exercices»? Pourquoi l'auteur les a-t-il écrits? Une des réponses à cette question est, sans aucun doute, «pour s'amuser et amuser le lecteur». Demandez-vous donc ce qui est amusant dans ces textes et pourquoi; en particulier:

—l'histoire racontée est-elle particulièrement comique? L'auteur n'aurait-il pas pu choisir une anecdote plus drôle? Pourquoi ne l'a-t-il pas fait?

—si l'histoire elle-même n'est pas spécialement amusante, d'ou vient notre amusement? Comparez l'effet produit par un seul des textes avec l'effet produit par l'ensemble.

L'auteur a aussi voulu montrer, avec humour, et sans se prendre au sérieux, l'importance du *style* dans l'expression littéraire. Expliquez comment le choix d'un «contenu» (l'anecdote) insignifiant sert ses intentions.

Avez-vous une préférence pour un de ces textes? Expliquez très précisément vos raisons.

TEXTE COMPLEMENTAIRE

Exclamations

Tiens! Midi! temps de prendre [1] l'autobus! que de monde! que de monde! ce qu'on est serré! [2] marrant! [3] ce gars-là! quelle trombine! [4] et quel cou! soixante-quinze centimètres! au moins! et le galon! le galon! je n'avais pas vu! le galon! c'est plus mar-

---

[1] *temps de prendre:* abrégé pour «il est temps de prendre»
[2] *ce qu'on est serré!:* ce que, familier (voir note 5)
[3] *marrant:* familier pour amusant
[4] *trombine:* familier pour figure, visage

rant! ça! le galon! autour de son chapeau! Un galon! marrant!
absolument marrant! ça y est [5] le voilà qui [6] râle! [7] le type au
galon! contre un voisin! qu'est-ce qu'il lui raconte! [8] L'autre! lui
aurait marché [9] sur les pieds! Ils vont se fiche [10] des gifles! pour
sûr! mais non! mais si! va h y! [11] va h y! mords y l'œil! [12] fonce! [13]
cogne! mince alors! [14] mais non! il se dégonfle! [15] le type! au long
cou! au galon! c'est sur une place vide qu'il fonce! oui! le gars!

Eh bien! vrai! non! je ne me trompe pas! c'est bien lui! là-bas!
dans la Cour de Rome! devant la gare Saint-Lazare! qui se balade [16] en long et en large! [17] avec un autre type! et qu'est-ce que
l'autre lui raconte! qu'il devrait ajouter un bouton! oui! un bouton à son pardessus! A son pardessus!

Queneau, *Exercices de Style*

Essayez de montrer en quoi ce nouvel «exercice de style» est différent
des précédents (style objectif? subjectif? vocabulaire? construction des
phrases? degré de familiarité?)

[5] *ça y est* (!): expression familière très courante, et qui peut avoir de nombreux
sens selon le contexte. elle exprime souvent une réaction devant un événement prévu,
inévitable, ou désagreable.

[6] *le voilà qui*: tournure familière pour «il commence à»

[7] *râle*: râler, familier pour se plaindre

[8] *qu'est-ce qu'il lui raconte!*: emploi familier de la construction interrogative dans
une phrase exclamative.

[9] *lui aurait marché*: le narrateur emploie le conditionnel ici pour indiquer qu'il ne
sait pas si le fait est vrai, et qu'il rapporte simplement les paroles de l'homme. Il faut
comprendre: «Il prétend (ie: he claims) que son voisin lui a marché sur les pieds».

[10] *se fiche*: familier pour se donner (le verbe devrait être à l'infinitif).

[11] *va h y*: déformation de «vas-y», expression familière utilisée pour encourager
quelqu'un à faire quelque chose.

[12] *mords y l'œil*: expression populaire facétieuse, utilisée pour exciter une personne
à se battre, ou simplement pour commenter une bagarre qu'on ne prend pas très au
sérieux. (l'emploi du pronom *y* est incorrect pour *lui*)

[13] *fonce*: foncer, familier pour se précipiter

[14] *mince alors!*: exclamation familière qui exprime la surprise.

[15] *il se dégonfle*: voir note 9 p. 191.

[16] *se balade*: familier pour se promène

[17] *en long et en large*: expression impropre pour «de long en large» (marcher de
long en large: to walk up and down).

REDACTIONS

Le jeune homme au long cou raconte la même histoire à la première personne. Utilisez tous les éléments donnés par les autres textes, mais en donnant le point de vue subjectif de l'intéressé.

Racontez un incident que vous avez observé, successivement de manière objective (sur le modèle de *Récit*) puis subjective (sur le modèle d'*Apartés*).

Lexique

Abréviations:

adj.	adjectif	part.	participe
f.	féminin	péj.	péjoratif
fam.	familier	plur.	pluriel
fig.	figuré	poét.	poétique
gram.	grammaire	qqn.	quelqu'un
inf.	infinitif	qqch.	quelque chose
m.	masculin		

A

abattre	*to bring down, to depress*
abîmer (s')	*to deteriorate*
aborder	*to confront, to face (a problem, etc. . . . .)*
aboutir (à)	*to result in; to come to (an end, a conclusion)*
accommoder (s') (de)	*to be content (with)*
accord m.	*agreement*
	être d'accord: *to agree*
accorder	*to grant, to agree*
accuser	(les traits du visage): *to set off*
actuel, elle	*present, current*
adosser (s') (à)	*to lean back (against)*
adresser	*to address*
	adresser la parole à qqn.: *to address someone*
affreux, se	*terrible, awful*
agacement m.	*irritation, impatience*
agacer	*to irritate; to set on edge (teeth, nerves)*
agité, e	*restless*
agir	*to act, to behave*
ailleurs	*somewhere else*
	d'ailleurs: *moreover, in any case*
air m.	avoir l'air + adj.: *to look, to seem*
allée f.	*lane, path, (garden) walk*
allonger (s')	*to lie down; to become longer*
âme f.	*soul*
	état d'âme: *mood, feeling*
amenuiser (s')	*to become smaller, to dwindle*
amical, e	*friendly*

annuler (s')	*to destroy oneself, to become nonexistent*
apaiser (s')	*to calm down, to abate* (wind)
aparté m.	*aside*
apercevoir	*to catch sight of, to see* (something dim or distant)
aplanir	*to flatten, to level*
aplatir	s'aplatir les cheveux: *to sleek down one's hair*
appartenir	*to belong*
appel	faire appel à: *to call upon*
apprendre	*to learn*
	apprendre qqch. à qqn.: *to teach somebody something*
argot m.	*slang*
argotique	*slangy*
arpenter	*to walk along, to walk up and down*
arriver	il arrive quelque chose: *something happens*
	il t'arriverait quelque chose: *something would happen to you*
assister (à)	*to attend, to be a witness to*
assurer (s')	*to make sure*
astre m.	*star, planet*
atteler	*to put* (a horse) *to*
	attelé de: *drawn by*
attendre (s') (à)	*to expect (to)*
attendrir (s')	*to be touched, to be moved*
attentif, ive	*careful*
attention f.	faire attention: *to pay attention, to watch*
atténuer	*to soften, to weaken*
attrister	*to sadden, to make sad*
aumônier m.	*chaplain*
aurore f.	*dawn, sunrise*
autrefois	*formerly, once*
averse f.	*shower* (rain)
avis m.	*opinion*
	à mon (ton, son, etc.) avis: *in my (your, his, etc.) opinion*
	être de l'avis de (qqn): *to be of someone's mind*
avoir	avoir beau (+ inf.): j'ai beau me dire: *it is in vain that I say to myself, although I say to myself*
	avoir l'air: *to look*
	avoir lieu: *to occur*

B

bain m.	bain de soleil: *sunbath, sunbathing*
baisser	*to lower*
	baisser la tête: *to lower one's head*
	baisser les yeux: *to look down*
bal m.	*dance, ball*
	aller au bal: *to go dancing, to go to a dance*

banal, e	*trite, commonplace*
banalité f.	*triteness*
barbouiller	*to daub*
bassin m.	*pond*
battement m.	battement d'ailes: *flapping of wings*
battre	battre des ailes: *to flap one's wings* (*birds*)
bavure f.	sans bavure: *neatly*
beaucoup	beaucoup plus: *much more*
bénéfique	*beneficial*
bêtise f.	faire des bêtises: *to misbehave*
bien	bien des: *many*
blesser	*to hurt, to wound*
blessure f.	*wound*
bonne f.	*maid, maidservant*
	bonne à tout faire: *maid*
boucle f.	*lock* (*of hair*)
bouclé, e	*curly*
boue f.	*mud*
boueux, se	*muddy*
bouleau m.	*birch*
bousculade f.	*jostling, pushing about* (*crowd*)
bout m.	au bout de (+ notion of time): *at the end of, after*
	venir à bout de: *to overcome* (*difficulty*)
	to come to the end of (*difficult undertaking*)
bref	*in short*
brièveté f.	*brevity*
brise f.	*breeze*
bruissant, e	*rustling*
bruissement m.	*rustling*
brume f.	*mist*
bruyant, e	*noisy*
busqué	*curved* (*nose*)
busquer (se)	*to curve, to become curved*

C

cabaler	*to plot, to conspire*
cabinet m.	cabinet de toilette: *dressing room*
cadre m.	*setting*
camisole f.	*short nightgown*
camus, e	*snub* (*nose*)
certes	*of course, to be sure*
chagrin m.	*sorrow, sadness*
chagrin, e	*sullen, sad*
chameau m.	*camel*
chance f.	*luck*
	avoir de la chance: *to be lucky*
charmille f.	*arbour, bower*

chemin m.	en chemin: *along the way*
chêne m.	*oak-tree*
chenêt m.	*andiron*
chéri, e	*darling*
chevaucher (se)	*to overlap*
cheville f.	*ankle*
chiffonner	*to wrinkle, to crumple up*
cime f.	*top (of tree or mountain)*
clairsemé, e	*sparse (hair)*
cogner	*to hit, to strike*
coiffure, f.	*hair style*
coing m.	*quince*
colère f.	*anger*
collège m.	*in France, an elementary and secondary school, usually private (i.e., not State supported) and run by catholic priests*
coller	*to glue, to stick*
compensé, e	*compensated*
complet, ète	*full (bus, théâtre, etc. . . .)*
complicité f.	*complicity*
composer	se composer de: *to be composed of* *to consist of*
concordance f.	concordance des temps: *tense sequence*
confesser	confesser qqn: *to hear someone's confession*
confier	se confier à qqn.: *to confide in someone, to put one's trust in someone*
confondre	*to mistake (one thing for another)*
conseil m.	*advice*
conseiller	*to advise*
consistance f.	*consistency*
consister (en)	*to consist (of)*
constatation f.	*findings (of an inquiry)*
contenance f.	*composure, assurance* perdre contenance: *to lose one's composure*
contester	*to question, to challenge*
contre	par contre: *on the other hand*
convenable	*suitable, appropriate*
convenir	*to suit, to be suitable*
copain (fam.) m.	*friend, pal*
cordelette f.	*thin rope, string*
corneille f.	*crow*
côte à côte	*side by side*
côté m.	*side* de l'autre côté (de la rue): *across the street)* d'un côté . . . d'un autre: *in a way . . . in another; on one hand . . . on the other*

couchant	soleil couchant: *setting sun*
	le couchant: *the west*
couche f.	*layer; coat (of paint)*
coucher m.	coucher du soleil: *sunset*
couchette f.	*bunk, cot*
coup m.	coup de pied: *kick*
	se donner des coups de pied: *to kick one another*
coupable m. f.	*guilty person, culprit*
coupable	*guilty*
couramment	*usually, ordinarily*
couronné, e (de)	*crowned (with)*
	couronné de neige: *snow-capped*
cours m.	au cours de: *during, in the course of*
coûte que coûte	*at any cost, no matter what*
crépus	cheveux crépus: *wooly hair*
creux, se	*hollow*
criard, e	*shrill*
crime m.	*murder*
crochet m.	faire un crochet: *to swerve, to go out of one's way*
croyant m.	*believer (in a religion)*
cuisse f.	*thigh*

D

dame f.	jouer aux dames: *to play checkers*
déborder	*to overflow, to overlap*
débris m.	*ruins, remains*
décamper (fam.)	*to run away*
décrié, e	*criticized, despised*
défaut m.	à défaut de: *in the absence of*
déferler	*to break (wave)*
dégager	*to isolate*
délavé, e	*faded (color)*
démarche f.	*gait, way of walking*
démettre (se)	se démettre l'épaule: *to put one's shoulder out*
denture f.	*teeth*
dépourvu, e (de)	*devoid of, lacking in*
dérouler (se)	*to unroll, to uncoil; to take place, to happen; to unfold (story)*
désigner (du doigt)	*to point to*
dessécher	*to dry up*
détourner (les yeux)	*to look away*
deux	tous deux: *both, the both of (them, us, you, etc.)*
deviner	*to guess*
discussion f.	*argument*
disperser	*to scatter*
	se disperser: *to scatter*

disposition f.	avoir une disposition pour: *to have a gift for*
disputer	*to argue*
distendu, e	*drawn out*
donner	donner des coups de pied: *to kick*
	se donner des coups de pied: *to kick one another*
douceur f.	*softness, gentleness*
doucher	*to shower; to sober (someone) up, to cool off*
douter (de)	*to doubt*
	se douter de: *to suspect*
douteux, se	*doubtful, unlikely*
droit m.	c'est mon (ton, etc.) droit: *I (you, etc.)*
	have a right to
drôle	*funny, amusing*
durcir	*to harden*

E

éblouir	*to dazzle*
éblouissant, e	*dazzling*
ébréché, e	*chipped*
échancrure f.	*opening (at the neck, of a coat, etc. . . .)*
échec m.	*failure*
	échecs (*plur.*): *chess (game)*
éclat m.	*brightness*
écraser	*to crush*
écrier (s')	*to cry out, to exclaim*
écume f.	*foam*
effacer	*to erase*
	s'effacer: *to vanish, to disappear*
égal, e	ça m'est égal: *I don't care (one way or the other)*
égarer (s')	*to get lost; to wander*
égratignure f.	*scratch*
élargissement m.	*widening*
embaumé, e	*balmy (breeze), sweet smelling*
embellir	*to beautify*
embrasser	*to kiss*
émouvoir	*to move, to disturb*
emploi m.	*use, usage; occupation*
	emploi du temps: *schedule, activities (within a certain period of time)*
employer	*to use*
	s'employer: *to be used*
empreinte f.	*print (footprints)*
ému, e	part. passé de émouvoir
enceinte	*pregnant*
endroit m.	*place, location*
enfler (s')	*to swell*

enfoncé, e	yeux enfoncés: *deep set eyes*
enfuir (s')	*to flee, to run away*
engager	engager la conversation: *to strike up a conversation*
ennui m.	*boredom*
ennuyer	*to bore*
	s' ennuyer: *to be bored*
énumération f.	faire une énumération: *to enumerate, to make a list*
envelopper (s')	*to wrap oneself, to shroud oneself*
envie f.	avoir envie de: *to feel like* (+ verbe)
	to want (+ nom)
épais, sse	*thick*
épaisseur f.	*thickness*
épaissir (s')	*to thicken*
épi m.	*ear (of corn, etc.)*
épouser	*to marry*
épreuve f.	*ordeal*
éprouver	*to feel (an emotion, a feeling)*
errer	*to wander*
espacé, e	*spaced, far apart*
étape f.	*stop, stage; step (in reasoning)*
état m.	*state, condition; occupation, trade*
éteindre (s')	*to go out, to die (daylight)*
étendre (s')	*to lie down*
étincelle f.	*spark*
étoilé, e	*starry, star-shaped*
étonner (s')	*to be surprised, to express one's surprise*
évidemment	*of course*
évoquer	*to suggest*
exiger	*to require, to demand*
expirer	*to die away*
exposer	*to explain, to state, to outline*
exprès	*on purpose*
	faire exprès (de): *to do (something) on purpose*
exprimer	*to express*

F

fâcher (se)	*to get angry*
façon f.	de toute façon: *in any case*
fade	*savorless*
faiblesse f.	*weakness*
faire	faire attention: *to pay attention, to be careful*
	faire beau: il fait beau: *the weather is fine*
	faire de la bicyclette: *to ride a bicycle*
	faire des bêtises: *to misbehave*
	faire exprès: *to do (something) on purpose*
falaise f.	*cliff*

faner (se)	*to fade (flowers)*
fantôme m.	*ghost*
fêlure f.	*crack*
fermement	*strongly, firmly*
feutre m.	*felt; felt hat*
fil m.	*thread*
	perdre le fil (de) (fam.): *to lose track of*
file f.	file d'attente: *waiting line*
fin f.	*end*
	prendre fin: *to come to an end*
flanc m.	*side, slope*
flocon m.	*flake*
fois f.	*time*
	à la fois: *at the same time*
	une fois: *once*
foncé, e	*dark*
foncer (fam.)	*to run, to hurry*
fonction f.	en fonction de: *in relation to, in proportion to*
fond m.	au fond: *on the whole, all things considered*
fondre	*to melt*
	se fondre en: *to melt, to converge into*
force f.	de toutes ses forces: *with all one's might*
formuler	*to express*
fortune f.	*wealth*
	faire fortune: *to make a fortune, to become rich*
foudre f.	*lightning*
	coup de foudre: *thunderclap*
fouler	se fouler la cheville: *to sprain one's ankle*
foyer m.	*fireplace, hearth; home*
franchissement m.	*jumping over, crossing, passing (of obstacles)*
frémir	*to tremble, to shudder*
frisé, e	*curly*
frotter	*to rub*
fuyant, e	front fuyant: *receding forehead*

G

gagner	gagner du terrain: *to gain ground*
galet m.	*pebble*
galoche f.	menton en galoche: *undershot jaw*
gamin m. (fam.)	*brat, kid*
gars m. (fam.)	*boy, guy, fellow*
gauche	*clumsy, awkward*
gazon m.	*grass*
gémissement m.	*moaning*
gêne f.	*embarrassment*
gerbe f.	*sheaf*

gifle f.	*slap*
glacé, e (de)	*glazed (with)*
gouffre m.	*chasm*
goût m.	*taste*
	prendre goût à: *to acquire a taste for, to get to like*
goûter	*to taste; to enjoy*
grâce	grâce à: *thanks to, because of*
gracile	*slender*
gravier m.	*gravel*
grève f.	*beach*
guetter	*to watch for*
guillemet m.	*quotation mark*

H

habitude f.	*habit, custom*
	d'habitude: *usually*
habituer (s') (à)	*to get used to*
haie f.	*hedge*
haine f.	*hatred*
hâlé, e	*tanned*
haleine f.	*breath*
hautbois m.	*oboe*
hirsute	*shaggy, unruly (hair)*
hormis (+ nom)	*except, with the exception of*
hulotte f.	*owl*
humer	*to smell, to breathe in*

I

ignorer	*not to know, to be unaware*
immondice m.	*refuse, garbage*
impatienter (s')	*to become impatient, restless*
impliquer	*to imply*
inattention f.	*neglect, carelessness, absent-mindedness*
incliné, e	*sloping*
indigne	*unworthy, worthless, shameless*
	mère indigne: *unmotherly woman*
informe	*shapeless*
infranchissable	*impassable, unsurmountable*
ingrat, e	*ungrateful, thankless; plain, ungainly (physical appearance)*
ingrat m.	*ungrateful person*
inouï, e	*unheard of, extraordinary*
inquiet, ète	*worried, afraid*
inspirer	s'inspirer de (qqch.): *to take (something) as a model*
interdire	*to forbid*

intéresser (s') (à)	*to be interested (in)*
interpeller	*to address*
interstice m.	*chink*
invalide m. f.	*cripple*
inventaire m.	*inventory*

J

jouer	jouer à chat perché: *to play tag*
	jouer aux boules:
	jouer aux quilles: *to play skittles*
jouet m.	*toy*
	être le jouet de: *to be the plaything, the victim of*
jour m.	une fois par jour: *once a day*
jusqu'à	*until; as far as, up to, down to*

L

lâche m.	*coward*
langueur f.	*languor*
large	le large: *the open sea*
lasser (se)	*to become tired*
lecture f.	*reading*
lendemain m.	le lendemain: *the next day*
	le lendemain matin: *the next morning*
levant	soleil levant: *rising sun*
lever (se)	*to rise (sun)*
liaison f.	*link, linking*
	mot de liaison: *linking word*
lieu m.	*place*
	au lieu de: *instead of*
	avoir lieu: *to take place, to occur*
	tenir lieu de (+ nom): *to serve as a substitute for, to replace*
lisse	*smooth*
livresque	*bookish*
long, ue	à la longue: *in the long run, finally, as time goes by*
lustré, e	*shiny, glossy*

M

mâchoire f.	*jaw*
magnétophone m.	*tape recorder*
main f.	*hand*
	se tenir par la main: *to hold each other's hand*
mal m.	*ill, suffering*
	se faire mal: *to hurt oneself*
	faire du mal (à): *to hurt*
malgré	*in spite of*

manquer (à)	*to miss*
	la campagne me manque: *I miss the country*
marteau m.	*hammer*
	donner des coups de marteau: *to hit with a hammer*
mat, e	*mat, dark (complexion)*
mater	*to conquer, to subdue*
maux	*(voir mal)*
méchamment	*viciously*
méconnaître	*to disregard, to ignore; to underrate*
méconnu (part. passé de méconnaître)	*forgotten, underrated*
menteur m.	*liar*
mentir	*to lie*
méprisant, e	*scornful*
mériter	*to deserve*
mesure f.	à mesure, au fur et à mesure: *simultaneously*
mettre	se mettre à (faire): *to start (doing)*
	se mettre en tête de: *to get it into one's head to*
minable (péj.)	*dismal, miserable, pitiful*
mine f.	*looks, appearance, countenance*
moeurs f. plur.	*ways, manners, customs, mores*
mollesse f.	*softness*
mollet m.	*calf (of leg)*
moment m.	pour le moment: *at this time, for the time being*
monter	*to climb, to go up*
	monter aux arbres: *to climb trees*
moquer (se) (de)	*to laugh (at); to make fun (of)*
mordre	*to bite*
morgue f.	*haughtiness*
mort f.	*death*
mort, e	*dead*
	un mort: *a dead man*
	une morte: *a dead woman*
moyen m.	*means*
	au moyen de: *by means of, through*
mugir	*to bellow*
mugissement m.	*bellowing (animal); booming (wind)*

N

néanmoins	*however, nevertheless*
négligé, e	*careless*
négligence f.	*carelessness*
nier	*to deny*
niveau m.	*level*
nom m.	*name*
	se faire un nom: *to make a name for oneself*
nombreux, se	*many, numerous*

noueux, se	*knotty, gnarled*
nouveau, elle	de nouveau: *again, once more*
noyer (se)	*to get drowned*
nuance f.	*shade (of color, of meaning)*
nue f (poét.)	*cloud, sky*
nués f. (poet.)	*thick cloud, storm cloud*

O

obsédant, e	*obsessive*
occuper (s') (de)	*to look after, to take care of*
odorat m.	*(sense of) smell*
oeil m.	*eye*
	coup d'oeil: *glance*
offense f.	*slight, insult*
onduler	*to wave (hair)*
opposer (s') (à)	*to contrast (with)*
oratoire	*oratory*
ossature f.	*bones, skeleton*
osseux, se	*bony*
ouate f.	*cotton wool*
ouïe f.	*(sense of) hearing*
ourlet m.	*hem*

P

paillassc f.	*(straw) mattress*
paisible	*peaceful, quiet*
paix f.	*peace*
parcourir	*to cover (distance)*
pareil, lle (à)	*similar (to), like*
pareillement	*similarly*
paroi f.	*wall*
part f.	d'autre part: *also, in addition, moreover*
parti m.	tirer parti de: *to take advantage of, to derive profit from, to make the best of*
partie f.	faire partie de: *to be part of*
passer (se)	*to take place, to occur*
patin m.	patin à glace: *ice skate*
	patin à roulette: *roller skate*
paysage m.	*landscape, scene*
peindre (se)	*to describe oneself*
peine f.	en valoir la peine: *to be worth the trouble, to be worth it*
	peine de mort: *death penalty*
pendre (se)	*to hang oneself*
perdre	*to lose*
	perdre le fil: *to lose track*
permettre	*to allow*

perte f.	à perte de vue: *as far as the eye can reach*
phalange f.	*phalanx*
pire	*worse*
	le pire: *the worst*
place f.	*place, seat (on bus, etc. . . .)*
plaindre (se)	*to complain*
plaisanterie f.	*joke, practical joke*
	par plaisanterie: *as a joke*
plan m.	*project; outline*
planche f.	*board, plank*
plein, e	*full*
	à plein: *fully*
ployer (rare)	*to fold*
plupart	la plupart (des + nom); *most*
	la plupart des hommes: *most men*
plus	de plus: *moreover, in addition*
plutôt	*rather*
pluvieux, se	*rainy*
poil m.	*hair*
point m.	être sur le point de (+ inf.): *to be about to*
pointu, e	*sharp, pointed*
pommette f.	*cheekbone*
	pommettes saillantes: *high cheekbones*
portant	bien portant: *healthy, in good health*
	mal portant: *sick, in poor health*
portée f.	se mettre à la portée de: *to adapt oneself to (in order to be understood)*
potelé, e	*chubby*
pourchasser	*to chase, to track down*
pourpre	*crimson*
poursuivre	*to chase; to continue*
	poursuivre son chemin: *to go on one's way*
pousser	*to push; to accentuate*
	pousser son type à l'extrême: *to exaggerate one's (physical) type*
prairie f.	*meadow*
précepteur m.	*tutor*
précipiter (se)	*to rush, to hurry*
préciser	*to explain, to define accurately, to clarify*
prélasser (se) (fam.)	*to lounge lazily, to dawdle, to loll about, to take it easy*
prendre	prendre fin: *to come to an end*
	prendre goût à: *to acquire a taste for, to get to like*
	se prendre au sérieux: to take oneself seriously
	s'y prendre: *to manage, to go about (doing something)* "il se peut que je m'y sois mal pris": *"maybe I went about it the wrong way"*

presser (se)	*to hurry*
prétendre	*to claim*
priver (de)	*to deprive*
procédé m.	*way, means, method, device*
	procédé littéraire: *literary device*
projet m.	*project, plan*
	faire le projet de (+ inf.): *to plan to*
prolonger	*to lengthen, to increase, to make longer (in time or space)*
	se prolonger: *to reverberate, to echo (sound)*
promener	promener, emmener promener un enfant: *to take a child for a walk*
	(fig.) *to carry around (something one can't get rid of), to be plagued with*
propos m.	à propos: *incidentally, by the way*
proposition f.	*proposal, proposition, offer*
	(gram.): *clause*
prudence f.	*cautiousness, care*
prudent, e	*cautious, careful*
puits m.	*well*
punition f.	*punishment*

Q

quant à	*as for*
quasi (+ adj.)	*almost*
quelconque	*nondescript, average*

R

raison f.	à plus forte raison: *all the more reason; a fortiori*
raisonnable	*sensible, logical*
raisonner	*to reason, to reflect, to argue*
	se raisonner: *to reason oneself into (or out of)*
ralentir (ou se ralentir)	*to slow down*
rancune f.	*grudge, spite*
	tenir rancune (à qqn.): *to bear (someone) a grudge*
ranger	*to place, to put away (in its right place), to arrange, to tidy up, to line up*
	dents bien rangées: *regular teeth*
rappeler	(qqch. à qqn.): *to remind (someone of something)*
rapport m.	*connection, relation*
	par rapport à: *in relation to, as compared to/with*
rapporter	*to bring back*
	rapporter des paroles: *to report, to transcribe, to write down, to repeat*
rapprocher (se) (de)	*to come close, closer; to be similar, comparable to*

rater (fam.)	to miss (bus, train . . .)
recherché, e	emploi recherché d'un mot: use of a rare and/or literary word
reconnaître	to recognize (a person, a place . . .); to admit, to agree, to acknowledge, to realize
redouter	to fear
redresser (se)	to straighten up, to sit up
réfléchi, e	serious, thoughtful
regarder	regarder dans les yeux: to look (stare) into someone's eyes
rejet m. (d'un mot)	displacement of a word from its normal place in the sentence to another
relâcher	to release, to set free (a prisoner)
relever	relever la tête, les yeux: to look up
relier	to link
renforcer	to strengthen, to make stronger
	renforcer un effet: to enhance, to emphasize, to underscore
renseignement m.	information
renverser	se renverser en arrière: to lean back
renvoyer (à)	to refer (to)
répandre (se)	to spread
répandu, e	usual
réplique f.	line (of dialogue, in play, novel, etc.); retort, rejoinder, answer
reposer (se)	to rest
	reposer (sur): to be based upon
reprendre	to refer to
reprocher	reprocher qqch. à qqn.: to blame someone for something
répugnance f.	distaste, reluctance
réséda m.	mignonette, reseda
réserve f.	reservation
ressembler (à)	to look (or feel, sound, taste, smell) like
	se resembler: to look alike
rester	il me reste (qqch.): I have something left
résider (dans)	to lie in, to consist of
résoudre	to solve
résumé m.	en résumé: to sum up, in short
résumer	to sum up
retenir (se)	to control, check, stop or restrain oneself
retentir	to resound, to echo
réticence f.	reluctance, hesitation
retourner (se)	to look back
	se retourner vers: to turn to
retranché, e (de)	withdrawn (from), isolated (from)

retroussé, e	nez retroussé: *turned up nose*
retrouver (se)	*to meet, to meet again*
réussir	*to succeed*
réussite f.	*success*
ride f.	*wrinkle, line (face)*
romance f.	*popular song*
ronger	ronger ses ongles: *to bite one's nails*
rotule f.	*knee-cap*
roue f.	*wheel*
rouler	la conversation roula sur: *the conversation concerned, turned upon*
roux, sse	*red (hair)*

S

saillant, e	pommettes saillantes: *high cheekbones*
salubre	*healthy*
sans-cervelle (fam.)	*brainless person*
sarment m.	*vineshoot*
satisfait, e	*pleased*
saule m.	*willow*
savant m.	*scholar, wise man, scientist*
savant, e	*learned, wise*
sein m.	*breast*
selon	*according to*
semblable	*similar, alike*
sensibilité f.	*sensitivity*
sensible (à)	*sensitive*
sensiblement	*approximately*
sérieux, se	se prendre au sérieux: *to take oneself seriously*
serrer	*to squeeze*
servir (de)	*to be used as, to serve as*
si ce n'est	*except for*
silence m.	garder le silence: *to remain silent*
sillon m.	*furrow*
soigneusement	*carefully*
somme f.	en somme: *on the whole; actually*
souci (de)	*preoccupation, interest (for); attempt, effort*
souci m.	*worry, care, trouble*
sourcil m.	*eyebrow*
sourd, e	sonorité sourde: *dull, muffled sound*
sourire m.	*smile*
sous-entendu, e	*implied, understood*
stupéfier	*to amaze, to astound*
subir	*to undergo*
sueur f.	*sweat*
suffire	*to be enough*

sujet m.	*topic, subject*
	au sujet de: *on the subject of*
supporter	*to stand, to bear*
surtout	*especially, mainly*

T

taille f.	*height*
tailler	*to cut out, to shape*
	lèvres bien taillées: well shaped lips
taire (se)	*to remain silent; to stop speaking*
tantôt . . . tantôt	*sometimes . . . sometimes*
	now . . . then
taper	*to hit*
tas m.	des tas de (fam.): *lots of*
teinte f.	*tint, shade, hue*
temps m.	en même temps: *at the same time*
	emploi du temps: *schedule*
ténèbres f. pl.	*darkness*
tenir	tenir en équilibre: *to keep one's balance*
	tenir un hôtel: *to run a hotel*
	tenir rancune à qqn.: *to bear someone a grudge*
	se tenir par la main: *to hold each other's hand*
tentative f.	*attempt*
tenter (de)	*to try, to attempt*
terminer (se)	*to come to an end*
	se terminer par: *to end up with*
terne	*dull*
terre f.	par terre: *on the ground*
	tomber par terre: *to fall down on the ground*
tête f.	en tête de: *at the top, head, beginning of*
	se mettre en tête de: *to get it into one's head to*
tige f.	*stalk*
tirer	tirer les cheveux à qqn.: *to pull someone's hair*
	tirer parti de: *to take advantage of, to make the best of*
tissu m.	*cloth, material*
tordre	tordre le poignet à qqn.: *to twist someone's wrist*
	se tordre le cou: *to crane one's neck*
toucher m.	(sense of) *touch*
touffu, e	*bushy; thick*
tour m.	faire le tour de la ville: *to walk (ride, drive, etc.) around the city*
	tour à tour: *by turns*
tournée f.	faire sa tournée (facteur): *to go on one's rounds*
trahir	*to betray*
train	être en train de (faire): *to be (engaged in) doing*

trait m.	*trait (character); feature (face); ray (sun); shaft*
trou m.	*hole*
	trou d'eau: *water hole*
troubler	*to disturb*
troupeau m.	*flock, herd*
trouvaille f.	*discovery*

V

valeur f.	mettre en valeur: *to emphasize, to bring into focus*
valoir	valoir la peine: *to be worth it, to be worth the trouble*
velours m.	*velvet*
velouté, e	*velvety*
venir	venir à bout de: *to overcome, to get over*
verser	verser des larmes: *to shed tears*
vieillir	*to grow old; to make (someone) look older, to age*
vigueur f.	*power, strength*
violer	*to rape*
vitre f.	*window pane*
vitupérer	*to insult*
voile f.	*sail*
voile m.	*veil*
volonté f.	*will, willpower*
voyageur m.	voyageur de commerce: *traveling salesman*
vue f.	*(sense of) sight*
	à perte de vue: *as far as the eye can see*

Index

Index Vocabulaire et Style

[1] All numbers refer to chapters.

Index Grammaire